NA MARGEM DO RIO PIEDRA EU SENTEI E CHOREI

Outros títulos do autor Paulo Coelho:

"Ó Maria, concebida sem pecado, rogai por nós,
que recorremos a Vós." Amém.

PAULO COELHO

NA MARGEM DO RIO PIEDRA EU SENTEI E CHOREI

1ª reimpressão

paralela

Publicado mediante acordo com Sant Jordi Asociados Agencia Literaria SLU, Barcelona, Espanha.

A Editora Paralela é uma divisão da Editora Schwarcz S.A.

Grafia atualizada segundo o Acordo Ortográfico da Língua Portuguesa de 1990, que entrou em vigor no Brasil em 2009.

CAPA Alceu Chiesorin Nunes

REVISÃO Ana Luiza Couto e Marise Leal

Dados Internacionais de Catalogação na Publicação (CIP)
(Câmara Brasileira do Livro, SP, Brasil)

Coelho, Paulo
    Na margem do rio Piedra eu sentei e chorei / Paulo
Coelho. — 1ª ed. — São Paulo : Paralela, 2018.

    ISBN 978-85-8439-078-6

    1. Ficção brasileira I. Título.

17-04387   CDD-869.3

Índice para catálogo sistemático:
1. Ficção : Literatura brasileira 869.3

[2021]
Todos os direitos desta edição reservados à
EDITORA SCHWARCZ S.A.
Rua Bandeira Paulista, 702, cj. 32
04532-002 — São Paulo — SP
Telefone: (11) 3707-3500
www.editoraparalela.com.br
atendimentoaoleitor@editoraparalela.com.br
facebook.com/editoraparalela
instagram.com/editoraparalela
twitter.com/editoraparalela

Para I.C. e S.B., cuja comunhão amorosa me fez
ver a face feminina de Deus;

Monica Antunes, companheira desde a primeira
hora, que com seu amor e entusiasmo
espalha o fogo pelo mundo;

Paulo Rocco, pela alegria das batalhas
que travamos juntos e pela dignidade dos combates
que travamos entre nós;

Matthew Lore, por não ter esquecido uma sábia
linha do *I ching*: "A perseverança é favorável".

Mas a Sabedoria é justificada por todos os seus filhos.

Lucas 7,35

Antes de começar

Um missionário espanhol visitava uma ilha quando encontrou três sacerdotes astecas.

— Como vocês rezam? — perguntou o padre.

— Temos apenas uma oração — respondeu um dos astecas. — Nós dizemos: "Deus, Tu És três, nós somos três. Tende piedade de nós".

— Bela oração — disse o missionário. — Mas ela não é exatamente a prece que Deus escuta. Vou lhes ensinar uma muito melhor.

O padre ensinou uma oração católica e seguiu seu caminho de evangelização. Anos depois, já no navio que o levava de volta à Espanha, teve que passar de novo por aquela ilha. Do convés, viu os três sacerdotes na praia — e acenou-lhes.

Nesse momento, os três começaram a caminhar pela água, em direção a ele.

— Padre! Padre! — chamou um deles, se aproximando do navio. — Nos ensina de novo a oração que Deus escuta, porque não conseguimos lembrar!

— Não importa — disse o missionário, vendo o milagre. E pediu perdão a Deus, por não ter entendido antes que Ele fala todas as línguas.

* * *

Esta história exemplifica bem o que procuro contar em *Na margem do rio Piedra eu sentei e chorei.* Raramente nos damos conta de que estamos cercados pelo Extraordinário. Os milagres acontecem à nossa volta, os sinais de Deus nos mostram o caminho, os anjos pedem que sejam ouvidos — mas, como aprendemos que existem fórmulas e regras para chegar até Deus, não damos atenção a nada disso. Não entendemos que Ele está onde O deixam entrar.

As práticas religiosas tradicionais são importantes: elas nos fazem partilhar com os outros a experiência comunitária da adoração e da oração. Mas nunca podemos esquecer que a experiência espiritual é sobretudo uma experiência *prática* de Amor. E no Amor não existem regras. Podemos tentar seguir manuais, controlar o coração, ter uma estratégia de comportamento — mas tudo isso é bobagem. O coração decide, e o que ele decidir é o que vale.

Todos nós já experimentamos isso. Todos nós, em algum momento da vida, já dissemos entre lágrimas: "Estou sofrendo por um amor que não vale a pena". Sofremos porque achamos que damos mais do que recebemos. Sofremos porque nosso amor não é reconhecido. Sofremos porque não conseguimos impor nossas regras.

Sofremos à toa: no amor está a semente de nosso crescimento. Quanto mais amamos, mais próximos estamos da experiência espiritual. Os verdadeiros iluminados, com suas almas incendiadas pelo Amor, venciam todos os preconceitos da época. Cantavam, riam, rezavam em voz alta, dançavam, compartilhavam aquilo que São Paulo chamou de "santa loucura". Eram alegres — porque quem ama venceu o mundo, não tem medo de perder nada. O verdadeiro amor é um ato de entrega total.

Na margem do rio Piedra eu sentei e chorei é um livro sobre a importância dessa entrega. Pilar e seu companheiro são personagens fictícios, mas símbolos dos muitos conflitos que nos acompanham na busca da Outra Parte. Cedo ou tarde, temos que vencer nossos medos — já que o caminho espiritual se faz através da experiência diária do amor.

O monge Thomas Merton dizia: "A vida espiritual se resume em amar. Não se ama porque se quer fazer o bem, ou ajudar, ou proteger alguém. Se agirmos assim, estaremos vendo o próximo como simples objeto, e estaremos vendo a nós mesmos como pessoas generosas e sábias. Isso nada tem a ver com amor. Amar é comungar com o outro e descobrir nele a centelha de Deus".

Que o pranto de Pilar na margem do rio Piedra nos conduza pelo caminho dessa comunhão.

PAULO COELHO

NA MARGEM DO RIO PIEDRA

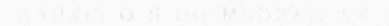

Eu sentei e chorei. Conta a lenda que tudo o que cai nas águas desse rio — as folhas, os insetos, as penas das aves — se transforma nas pedras do seu leito. Ah, quem dera eu pudesse arrancar o coração do meu peito e atirá-lo na correnteza, e então não haveria mais dor, nem saudade, nem lembranças.

Na margem do rio Piedra eu sentei e chorei. O frio do inverno fez com que eu sentisse as lágrimas no rosto, e elas se misturaram com as águas geladas que correm diante de mim. Em algum lugar esse rio se junta com outro, depois com outro, até que — distante dos meus olhos e do meu coração — todas essas águas se confundem com o mar.

Que as minhas lágrimas corram assim para bem longe, para meu amor nunca saber que um dia chorei por ele. Que minhas lágrimas corram para bem longe, e então eu esquecerei o rio Piedra, o mosteiro, a igreja nos Pireneus, a bruma, os caminhos que percorremos juntos.

Eu esquecerei as estradas, as montanhas e os campos de meus sonhos — sonhos que eram meus e que eu não conhecia.

Eu me lembro do meu instante mágico, daquele momento em que um "sim" ou um "não" pode mudar toda a nossa existência. Parece ter acontecido há tanto tempo, no entanto faz apenas uma semana que reencontrei meu amado e o perdi.

Nas margens do rio Piedra escrevi esta história. As mãos ficavam geladas, as pernas entorpecidas pela posição, e eu precisava parar a todo instante.

— Procure viver. Lembrar é para os mais velhos — dizia ele.

Talvez o amor nos faça envelhecer antes da hora e nos torne jovens quando a juventude passa. Mas como não recordar aqueles momentos? Por isso escrevia, para transformar a tristeza em saudade, a solidão em lembranças. Para que, quando acabasse de contar a mim mesma esta história, eu a pudesse jogar no Piedra — assim me dissera a mulher que me acolheu. Então — lembrando as palavras de uma santa — as águas poderiam apagar o que o fogo escreveu.

Todas as histórias de amor são iguais.

Tínhamos passado a infância e a adolescência juntos. Ele partiu, como todos os rapazes partem das cidades pequenas. Disse que ia conhecer o mundo, que seus sonhos iam além dos campos de Soria.

Fiquei alguns anos sem notícias. De vez em quando recebia uma carta ou outra, mas isso era tudo — porque ele nunca voltou aos bosques e às ruas da nossa infância.

Quando terminei meus estudos, mudei para Zaragoza — e descobri que ele tinha razão. Soria era uma cidade pequena e seu único poeta famoso dissera que o caminho é feito ao andar. Entrei para a faculdade e arranjei um noivo. Comecei a estudar para um concurso público que não acontecia nunca. Trabalhei como vendedora, paguei meus estudos, fui reprovada no concurso público, desisti do noivo.

Suas cartas, então, começaram a chegar com mais frequência — e, pelos selos de diversos países, eu sentia inveja. Ele era o amigo mais velho, que sabia tudo, percorria o *mundo*, deixava crescer suas asas — enquanto eu procurava criar raízes.

De uma hora para outra, suas cartas falavam em Deus, e vinham sempre de um mesmo lugar da França. Em uma delas, manifestou o desejo de entrar para um seminário e dedicar sua vida à oração. Eu escrevi de volta, pedindo que esperasse um pouco, que vivesse um pouco mais sua liberdade antes de se comprometer com algo tão sério.

Quando li minha carta, resolvi rasgá-la: quem era eu para falar em liberdade ou compromisso? Ele sabia dessas coisas, eu não.

Um dia soube que estava dando palestras. Fiquei surpresa, porque era jovem demais para ensinar qualquer coisa. Mas, há duas semanas, me mandou um cartão dizendo que iria falar para um pequeno grupo em Madri e fazia questão da minha presença.

Viajei por quatro horas, de Zaragoza a Madri, porque queria tornar a vê-lo. Queria escutá-lo. Queria sentar com ele em um bar, lembrar os tempos em que brincávamos juntos e achávamos que o mundo era grande demais para ser percorrido.

SÁBADO,
4 DE DEZEMBRO DE 1993

A conferência era num lugar mais formal do que eu havia imaginado, e tinha mais gente do que eu esperava. Não entendi como aquilo estava acontecendo.

"Quem sabe ficou famoso", pensei. Não me havia dito nada em suas cartas. Tive vontade de falar com as pessoas presentes, perguntar o que estavam fazendo ali, mas não tive coragem.

Fiquei surpresa ao vê-lo entrar. Parecia diferente do garoto que conheci — mas, claro, em onze anos as pessoas mudam. Estava mais bonito e seus olhos brilhavam.

— Está nos devolvendo o que era nosso — disse uma mulher ao meu lado.

A frase era estranha.

— O que está devolvendo? — perguntei.

— O que nos foi roubado. A religião.

— Não, ele não está nos devolvendo — disse uma mulher mais jovem, sentada a minha direita. — Eles não podem nos devolver o que já nos pertence.

— O que você está fazendo aqui, então? — perguntou, irritada, a primeira mulher.

— Quero escutá-lo. Quero ver como pensam, porque já nos queimaram um dia e podem querer repetir a dose.

— Ele é uma voz solitária — disse a mulher. — Está fazendo o possível.

A jovem deu um sorriso irônico e virou-se para a frente, encerrando a conversa.

— Para um seminarista, é uma atitude corajosa — continuou a mulher, dessa vez olhando para mim, procurando apoio.

Eu não estava entendendo nada; fiquei calada e a mulher desistiu. A jovem ao meu lado piscou um olho — como se eu fosse sua aliada.

Mas eu estava quieta por outra razão. Pensava no que a senhora havia dito.

"Seminarista."

Não podia ser. Ele teria me avisado.

Ele começou a falar e eu não conseguia me concentrar direito. "Devia ter me vestido melhor", pensava, sem entender a causa de tanta preocupação. Ele me notara na plateia, e eu tentava decifrar seus pensamentos: como eu devia estar? Qual a diferença entre uma menina de dezoito e uma mulher de vinte e nove?

Sua voz era igual. Entretanto, suas palavras haviam mudado muito.

É preciso correr riscos, dizia ele. *Só entendemos direito o milagre da vida quando deixamos que o inesperado aconteça.*

Todos os dias Deus nos dá — junto com o sol — um momento em que é possível mudar tudo o que nos deixa infelizes. Todos os dias procuramos fingir que não percebemos esse momento, que ele não existe, que hoje é igual a ontem e será igual a amanhã. Mas quem presta atenção ao seu dia descobre o instante mágico. Ele pode estar escondido na hora em que enfiamos a chave na porta pela manhã, no instante de silêncio logo após o jantar, nas mil e uma coisas que nos parecem iguais. Este momento existe — um momento em que toda a força das estrelas passa por nós e nos permite fazer milagres.

A felicidade às vezes é uma bênção — mas geralmente é uma conquista. O instante mágico do dia nos ajuda a mudar, nos faz ir em busca de nossos sonhos. Vamos sofrer, vamos ter momentos difíceis, vamos enfrentar muitas desilusões — mas tudo é passageiro e não deixa marcas. E, no futuro, poderemos olhar para trás com orgulho e fé.

Pobre de quem teve medo de correr os riscos. Porque esse talvez não se decepcione nunca, nem tenha desilusões, nem sofra como aqueles que têm um sonho a seguir. Mas quando olhar para trás — porque sempre olhamos para trás — vai escutar seu coração dizendo: "O que fizeste com os milagres que Deus semeou por teus dias? O que fizeste com os talentos que teu Mestre te confiou? Enterraste fundo em uma cova, porque tinhas medo de perdê-los. Então, esta é a tua herança: a certeza de que desperdiçaste tua vida".

Pobre de quem escuta estas palavras. Porque então acreditará em milagres, mas os instantes mágicos da vida já terão passado.

As pessoas o cercaram assim que terminou de falar. Esperei, preocupada com a impressão que teria de mim depois de tantos anos. Eu me sentia uma criança — insegura, ciumenta porque não conhecia seus novos amigos, tensa porque ele dava mais atenção aos outros do que a mim.

Então ele se aproximou. Ficou vermelho, e já não era mais o homem que dizia coisas importantes; tornava a ser o garoto que se escondia comigo na ermida de São Satúrio, falando de seus sonhos de percorrer o mundo — enquanto nossos pais pediam ajuda à polícia, pensando que nos havíamos afogado no rio.

— Olá, Pilar — disse ele.

Beijei seu rosto. Podia ter dito algumas palavras de elogio. Podia ter me cansado de ficar no meio de tanta gente. Podia ter feito algum comentário engraçado sobre a infância e sobre o orgulho que tinha de vê-lo assim, admirado pelos outros.

Podia explicar que precisava sair correndo e pegar o último ônibus da noite para Zaragoza.

Eu podia. Jamais chegaremos a compreender o significado desta frase. Porque em todos os momentos de nossa vida existem coisas que podiam ter acontecido e terminaram não acontecendo. Existem instantes mágicos que vão passando despercebidos e, de repente, a mão do destino muda o nosso universo.

Foi o que aconteceu naquele momento. Em vez de todas as coisas que eu podia ter feito, fiz um comentário que — uma semana depois — me trouxe diante deste rio e me fez escrever estas linhas.

— Podemos tomar um café? — foi o que eu disse.

E ele — virando-se para mim — aceitou a mão que o destino oferecia:

— Eu preciso muito conversar com você. Amanhã tenho uma palestra em Bilbao. Estou de carro.

— Tenho que voltar para Zaragoza — respondi, sem saber que ali estava a última saída.

Mas, numa fração de segundo, talvez porque eu voltara a ser criança, talvez porque não somos nós que escrevemos os melhores momentos de nossas vidas, falei:

— Vem aí o feriado da Imaculada. Posso acompanhar você até Bilbao e voltar de lá.

O comentário sobre o "seminarista" estava na ponta da minha língua.

— Você quer me perguntar alguma coisa? — disse ele, percebendo minha expressão.

— Sim — tentei disfarçar. — Antes da conferência, uma mulher disse que você estava devolvendo o que era dela.

— Nada importante.

— Para mim é importante. Não sei nada de sua vida, estou surpresa ao ver tanta gente aqui.

Ele riu e virou-se para dar atenção aos outros presentes.

— Um momento — disse eu, segurando-o pelo braço. — Você não respondeu à minha pergunta.

— Nada que lhe interesse muito, Pilar.

— De qualquer maneira, quero saber.

Ele respirou fundo e me levou para um canto da sala.

— Todas as três grandes religiões monoteístas — judaísmo, catolicismo, islamismo — são masculinas. Os sacerdotes são homens. Os homens governam os dogmas e fazem as leis.

— E o que a senhora quis dizer?

Ele vacilou um pouco. Mas respondeu:

— Que tenho uma visão diferente das coisas. Que creio na face feminina de Deus.

Respirei aliviada; a mulher estava enganada. Ele não podia ser seminarista, porque os seminaristas não têm visão diferente das coisas.

— Você se explicou muito bem — respondi.

A moça que havia piscado o olho para mim me esperava na porta.

— Sei que pertencemos à mesma tradição — disse ela. — Meu nome é Brida.

— Não sei do que você está falando — respondi.

— Claro que sabe — riu a moça.

Pegou-me pelo braço e saímos juntas, antes que eu tivesse tempo de explicar qualquer coisa. A noite não estava muito fria, e eu não sabia muito bem o que fazer até a manhã seguinte.

— Aonde vamos? — perguntei.

— Até a estátua da Deusa — foi sua resposta.

— Preciso de um hotel barato para passar a noite.

— Depois te digo.

Preferia sentar num café, conversar mais um pouco, saber tudo o que pudesse sobre ele. Mas não queria discutir com ela; deixei que me guiasse pelo Paseo de Castellana enquanto olhava Madri depois de tantos anos.

No meio da avenida ela parou e apontou o céu.

— Lá está ela — disse.

A lua cheia brilhava entre os galhos sem folhas.

— Está linda — comentei.

Mas ela não me escutava. Abriu os braços em forma de cruz, virou as palmas das mãos para cima e ficou contemplando a lua.

"Onde fui me meter", pensei. "Vim assistir a uma conferência, terminei no Paseo de Castellana com esta louca, e amanhã viajo para Bilbao."

— Ó espelho da Deusa Terra — disse a moça, com os olhos fechados. — Nos ensina nosso poder, faz com que os homens nos compreendam. Nascendo, brilhando, morrendo e ressuscitando no céu, você nos mostrou o ciclo da semente e do fruto.

A moça esticou os braços para o céu e ficou um longo tempo nessa posição. As pessoas que passavam olhavam e riam, mas ela nem se dava conta; quem morria de vergonha era eu, por estar ao seu lado.

— Eu precisava fazer isso — disse, depois de uma longa reverência para a lua. — Para que a Deusa nos proteja.

— Do que você está falando, afinal?

— Da mesma coisa que seu amigo falou, só que com palavras verdadeiras.

Me arrependi de não ter prestado atenção à palestra. Era incapaz de saber direito o que ele falou.

— Nós conhecemos a face feminina de Deus — disse a moça quando voltamos a caminhar. — Nós, as mulheres, que entendemos e amamos a Grande Mãe. Pagamos nossa sabedoria com as perseguições e as fogueiras, mas sobrevivemos. E agora entendemos seus mistérios.

As fogueiras. As bruxas.

Olhei melhor para a mulher ao meu lado. Era bonita, os seus cabelos ruivos desciam até o meio das costas.

— Enquanto os homens saíam para caçar, nós ficávamos nas cavernas, no ventre da Mãe, cuidando de nossos filhos — continuou ela. — E foi aí que a Grande Mãe nos ensinou tudo.

"O homem vivia em movimento, enquanto ficávamos no ventre da Mãe. Isso nos fez perceber que as sementes se transformavam em plantas, e avisamos aos nossos homens. Fizemos o primeiro pão e os alimentamos. Moldamos o primeiro vaso para que eles bebessem. E entendemos o ciclo da criação, porque nosso corpo repetia o ritmo da lua."

De repente ela parou:

— Ali está ela.

Eu olhei. No meio de uma praça cercada de trânsito por todos os lados, havia uma fonte. No meio dessa fonte, uma escultura mostrava uma mulher numa carruagem puxada por leões.

— É a praça Cibele — disse eu, querendo mostrar que conhecia Madri. Já vira aquela escultura em dezenas de cartões-postais.

Mas ela não me escutava. Estava no meio da rua, tentando driblar o trânsito.

— Vamos até lá! — gritava, acenando para mim entre os carros.

Resolvi alcançá-la apenas para perguntar o nome de um hotel. Aquela loucura estava me cansando, e eu precisava dormir.

Chegamos à fonte quase ao mesmo tempo; eu com o coração disparado, ela com um sorriso nos lábios.

— A água! — dizia. — A água é sua manifestação!

— Por favor, eu preciso do nome de um hotel barato.

Ela enfiou as mãos na fonte.

— Faça o mesmo — disse para mim. — Toque na água.

— De jeito nenhum. Mas não quero atrapalhar. Vou procurar um hotel.

— Só mais um momento.

A moça tirou uma pequena flauta de sua bolsa e começou a tocar. A música parecia ter um efeito hipnótico: o ruído do tráfego foi ficando distante e meu coração se acalmou. Sentei-me na borda da fonte, escutando o som da água e da flauta, com os olhos fixos na lua cheia acima de nós. Algo me dizia que — embora eu não pudesse compreender direito — ali estava um pouco da minha natureza de mulher.

Não sei por quanto tempo ela tocou. Quando acabou, virou-se para a fonte.

— Cibele — disse ela. — Uma das manifestações da Grande Mãe. Que governa as colheitas, sustenta as cidades, devolve à mulher o seu papel de sacerdotisa.

— Quem é você? — perguntei. — Por que me pediu que a acompanhasse?

Ela virou-se para mim:

— Sou o que você acha que eu sou. Faço parte da religião da Terra.

— O que quer de mim? — insisti.

— Posso ler os seus olhos. Posso ler o seu coração. Você irá se apaixonar. E sofrer.

— Eu?

— Você sabe do que estou falando. Eu vi como ele a olhava. Ele te ama.

Aquela mulher estava louca.

— Por isso eu a chamei para sair comigo — continuou. — Porque ele é importante. Embora diga bobagens, pelo menos reconhece a Grande Mãe. Não deixe que ele se perca. Ajude-o.

— Você não sabe o que está dizendo. Você está perdida nas suas fantasias — disse eu, enquanto me embrenhava de novo entre os carros, jurando nunca mais pensar nas palavras daquela mulher.

DOMINGO,
5 DE DEZEMBRO DE 1993

Paramos para tomar um café.

— A vida te ensinou muitas coisas — disse eu, tentando manter a conversa.

— Me ensinou que podemos aprender, me ensinou que podemos mudar — respondeu ele. — Mesmo que pareça impossível.

Estava cortando o assunto. Quase não tínhamos conversado durante as duas horas de viagem até aquele bar de estrada.

No começo, procurei relembrar nosso tempo de infância, mas ele apenas demonstrava um interesse educado. Não estava sequer me ouvindo, e fazia perguntas sobre coisas que eu já dissera.

Alguma coisa parecia estar errada. Podia ser que o tempo e a distância o tivessem afastado para sempre do meu mundo. "Ele fala sobre instantes mágicos", pensei. "Que diferença faz a carreira que seguiram Carmem, Santiago ou Maria?" Seu universo era outro, Soria se resumia a uma lembrança distante — parada no tempo, com os amigos de infância ainda na infância, e os velhos ainda vivos e fazendo o que faziam há vinte e nove anos.

Comecei a ficar arrependida de ter aceitado a carona. Quando ele mudou de novo de assunto, durante o café, resolvi não insistir mais.

As duas horas restantes, até Bilbao, foram uma verdadeira tortura. Ele olhava para a estrada, eu olhava pela janela, e nenhum dos dois escondia o mal-estar que se havia instalado. O carro alugado não tinha rádio, e o jeito foi aguentar o silêncio.

— Vamos perguntar onde é a estação de ônibus — disse eu, assim que saímos da autoestrada. — Existe uma linha regular para Zaragoza.

Era hora da sesta, e havia pouca gente nas ruas. Passamos por um senhor, por um casal de jovens, e ele não parou para pedir informação.

— Você sabe onde é? — perguntei, depois de algum tempo.

— Onde é o quê?

Ele continuava sem escutar o que eu dizia.

De repente, entendi o silêncio. O que ele tinha a conversar com uma mulher que nunca havia se aventurado pelo mundo? Qual a graça de se estar ao lado de alguém que tem medo do desconhecido, que prefere um emprego seguro e um casamento convencional? Eu — pobre de mim — falava dos mesmos amigos de infância, das lembranças empoeiradas de um povoado insignificante. Era meu único assunto.

— Pode me deixar aqui mesmo — disse eu, quando chegamos ao que parecia ser o centro da cidade. Tentava parecer natural, mas sentia-me tola, infantil e aborrecida.

Ele não parou o carro.

— Tenho de tomar o ônibus de volta para Zaragoza — insisti.

— Nunca estive aqui. Não sei onde é o meu hotel. Não sei onde é a conferência. Não sei onde fica a estação de ônibus.

— Eu dou um jeito, não se preocupe.

Ele diminuiu a velocidade, mas continuou dirigindo.

— Gostaria... — disse.

Por duas vezes não conseguiu terminar a frase. Eu imaginava do que ele gostaria: agradecer minha companhia, mandar algumas lembranças aos amigos e, dessa maneira, aliviar aquela sensação desagradável.

— Gostaria que você fosse comigo à conferência hoje à noite — disse finalmente.

Levei um susto. Talvez estivesse tentando ganhar tempo para consertar o silêncio constrangedor da viagem.

— Gostaria muito que você fosse comigo — repetiu.

Eu podia ser uma moça do interior, sem grandes histórias de vida para contar, sem o brilho e a presença das mulheres da cidade. Mas a vida do interior, embora não deixe a mulher mais elegante ou preparada, ensina como escutar o coração — e entender seu instinto.

Para minha surpresa, meu instinto dizia que ele estava sendo sincero.

Respirei aliviada. Claro que não ia ficar para conferência alguma, mas ao menos o amigo querido parecia estar de volta, me chamando para suas aventuras, dividindo comigo seus medos e vitórias.

— Obrigada pelo convite — respondi. — Mas não tenho dinheiro para o hotel, e preciso voltar para meus estudos.

— Eu tenho algum dinheiro. Você pode ficar no meu quarto. Pedimos duas camas separadas.

Reparei que ele estava começando a suar, apesar do frio. Meu coração começou a dar sinais de alarme que eu não conseguia identificar. A sensação de alegria de momentos antes foi substituída por uma imensa confusão.

Ele parou o carro de repente e me olhou direto nos olhos.

Ninguém consegue mentir, ninguém consegue esconder nada quando olha direto nos olhos.

E toda mulher, com o mínimo de sensibilidade, consegue ler os olhos de um homem apaixonado. Por mais absurdo que pareça, por mais fora de lugar e de tempo que essa paixão possa se manifestar. Lembrei-me imediatamente das palavras da mulher ruiva na fonte.

Não era possível. Mas era verdade.

Eu nunca, nunca em minha vida tinha pensado que — tanto tempo depois — ele ainda se lembrava. Éramos crianças, vivíamos juntos e descobrimos o mundo de mãos dadas. Eu o amei — se é que uma criança consegue entender direito o significado do amor. Mas aquilo acontecera há muito tempo — numa outra vida, onde a inocência deixa o coração aberto para o que há de melhor na vida.

Agora éramos adultos e responsáveis. As coisas da infância eram coisas da infância.

Tornei a olhar seus olhos. Eu não queria ou não conseguia acreditar.

— Tenho mais esta conferência e depois vêm os feriados da Imaculada Conceição. Preciso ir até as montanhas — continuou. — Preciso lhe mostrar algo.

O homem brilhante, que falava de instantes mágicos, estava ali na minha frente — agindo da maneira mais errada possível. Avançava rápido demais, estava inseguro, fazia propostas confusas. Era duro vê-lo dessa maneira.

Abri a porta, saí e recostei-me no carro. Fiquei olhando a avenida quase deserta. Acendi um cigarro e procurei não pensar. Podia disfarçar, fingir que não estava entendendo — podia tentar convencer a mim mesma de que era realmente a proposta de um amigo para uma amiga de infância. Talvez ele estivesse viajando havia muito tempo e começasse a confundir as coisas.

Talvez eu estivesse exagerando.

Ele saltou do carro e sentou-se ao meu lado.

— Gostaria que você ficasse para a conferência esta noite — disse, mais uma vez. — Mas, se não puder, eu entendo.

Pronto. O mundo dera uma volta inteira e retornava ao seu lugar. Não era nada do que eu pensava — ele já não insistia mais, já estava disposto a me deixar partir. Homens apaixonados não se comportam dessa maneira.

Senti-me tola e aliviada ao mesmo tempo. Sim, eu podia ficar, pelo menos mais um dia. Jantaríamos juntos e nos embriagaríamos um pouco — coisa que jamais fizemos quando crianças. Era uma boa chance para esquecer as bobagens que eu havia pensado minutos antes, uma boa oportunidade para quebrar o gelo que nos acompanhou desde Madri.

Um dia não ia fazer diferença. Pelo menos, ia ter alguma coisa para contar às minhas amigas.

— Camas separadas — disse eu, em tom de brincadeira. — E você paga o jantar, porque continuo sendo estudante até esta idade. Não tenho dinheiro.

Colocamos as malas no quarto do hotel e descemos para caminhar até o local da conferência. Chegamos cedo e nos sentamos num café.

— Quero te dar uma coisa — disse ele, me entregando um pequeno saco vermelho.

Abri na mesma hora. Dentro, uma medalha velha e enferrujada — com Nossa Senhora das Graças de um lado e o Sagrado Coração de Jesus do outro.

— Era sua — disse ele, ao ver minha cara de surpresa.

Meu coração começou de novo a dar sinais de alarme.

— Um dia, era um outono como este agora, e nós devíamos ter dez anos, sentei com você na praça onde fica o grande carvalho.

"Eu ia dizer algo, algo que ensaiara durante semanas a fio. Assim que comecei, você me disse que havia perdido sua medalha na ermida de São Satúrio e me pediu que fosse procurá-la."

Eu me lembrava. Ah, Deus, eu me lembrava.

— Consegui encontrá-la. Mas, quando voltei para a praça, já não tinha mais coragem de dizer o que havia ensaiado — continuou.

"Então prometi a mim mesmo que só tornaria a lhe entregar a medalha quando pudesse completar a frase que comecei a dizer naquele dia, há quase vinte anos. Durante muito tempo tentei esquecer, mas a frase continuou presente. Não posso viver mais com ela."

Ele largou o café, acendeu um cigarro e ficou um longo tempo olhando o teto. Depois se virou para mim.

— A frase é muito simples — disse.

"Eu te amo."

Às vezes somos possuídos por uma sensação de tristeza que não conseguimos controlar, dizia ele. Percebemos que o instante mágico daquele dia passou e nada fizemos. Então, a vida esconde a sua magia e a sua arte.

Temos que escutar a criança que fomos um dia, e que ainda existe dentro de nós. Essa criança entende de instantes mágicos. Podemos sufocar seu pranto, mas não podemos calar sua voz.

Essa criança que fomos um dia continua presente. Bem-aventurados os pequeninos, porque deles é o Reino dos Céus.

Se não nascermos de novo, se não tornarmos a olhar a vida com a inocência e o entusiasmo da infância, não existe mais sentido em viver.

Existem muitas maneiras de se cometer suicídio. Os que tentam matar o corpo ofendem a lei de Deus. Os que tentam matar a alma também ofendem a lei de Deus, embora seu crime seja menos visível aos olhos do homem.

Prestemos atenção ao que nos diz a criança que temos guardada no peito. Não nos envergonhemos por causa dela. Não vamos deixar que ela tenha medo porque está só e quase nunca é ouvida.

Vamos permitir que ela tome um pouco as rédeas de nossa existência. Essa criança sabe que um dia é diferente do outro.

Vamos fazer com que se sinta de novo amada. Vamos agradá-la — mesmo que isso signifique agir de maneira a que não estamos acostumados, mesmo que pareça tolice aos olhos dos outros.

Lembrem-se de que a sabedoria dos homens é loucura diante de Deus. Se escutarmos a criança que temos na alma, nossos olhos tornarão a brilhar. Se não perdermos o contato com essa criança, não perderemos o contato com a vida.

As cores à minha volta começaram a ficar mais fortes; senti que estava falando mais alto e fazendo mais ruído quando colocava o copo de volta na mesa.

Um grupo de quase dez pessoas havia saído direto da conferência para jantar. Todos falavam ao mesmo tempo, e eu sorria — sorria porque era uma noite diferente. A primeira noite, em muitos anos, que eu não havia planejado.

Que alegria!

Quando decidi ir até Madri, tinha meus sentimentos e minhas ações sob controle. De repente, tudo havia mudado. Eu estava ali — uma cidade onde nunca colocara os pés, embora ficasse a menos de três horas de minha cidade natal. Sentada naquela mesa onde conhecia apenas uma pessoa — e todos falavam comigo como se me conhecessem há muito tempo. Surpresa comigo mesma porque era capaz de conversar, beber e me divertir como eles.

Eu estava ali porque — de repente — a vida me entregara à Vida. Não sentia culpa, medo ou vergonha. À medida que ficava perto dele — e que o escutava falar —, ia me convencendo de que tinha razão: existem momentos em que ainda é preciso correr riscos, dar passos loucos.

"Fico dias a fio diante daqueles livros e cadernos, fazendo um esforço sobre-humano para comprar minha própria escravidão", pensei. "Por que quero este emprego? O que ele vai me acrescentar como ser humano, ou como mulher?"

Nada. Eu não havia nascido para ficar o resto da minha vida atrás de uma mesa, ajudando os juízes a despachar seus processos.

"Não posso pensar assim sobre minha vida. Vou ter de voltar para ela ainda esta semana."

Devia ser efeito do vinho. Afinal de contas, quem não trabalha não come.

"Isto é um sonho. Vai acabar."

Mas por quanto tempo posso prolongar este sonho? Pela primeira vez pensei em acompanhá-lo nos próximos dias até as montanhas. Afinal de contas, estava começando uma semana de feriados.

— Quem é você? — perguntou uma bela mulher que estava na nossa mesa.

— Uma amiga de infância — respondi.

— Ele já fazia essas coisas quando criança? — ela continuou.

— Que coisas?

A conversa na mesa pareceu diminuir e parar.

— Você sabe — insistiu a mulher. — Os milagres.

— Ele já sabia falar bem — respondi, sem entender o que ela estava dizendo.

Todos riram, inclusive ele — e fiquei sem saber o motivo daquela risada. Mas o vinho me deixava livre, eu não precisava controlar tudo o que se passava.

Parei, olhei à minha volta, fiz um comentário qualquer sobre um assunto que esqueci no momento seguinte. E tornei a pensar nos feriados.

Era bom estar ali, conhecendo gente nova. As pessoas discutiam coisas sérias no meio de comentários engraçados, eu tinha a sensação de estar participando do que acontecia no mundo. Pelo menos por esta noite não era a mulher que assiste à vida pela tv ou pelos jornais.

Quando voltasse a Zaragoza, ia ter muito que contar. Se aceitasse o convite para o feriado da Imaculada — então eu podia passar um ano inteiro vivendo de novas lembranças.

"Ele tinha toda a razão em não prestar atenção à minha conversa sobre Soria", refleti. E senti pena de mim mesma: há anos a gaveta da minha memória guardava as mesmas histórias.

— Beba um pouco mais — disse um homem de cabelos brancos, enchendo meu copo.

Eu bebi. Pensei nas poucas coisas que teria para contar aos meus filhos e netos.

— Estou contando com você — disse ele, de modo que só eu pudesse escutar. — Vamos até a França.

O vinho me deixava mais livre para dizer o que pensava.

— Só se conseguir deixar bem claro uma coisa — respondi.

— O quê?

— Aquilo que você falou antes da conferência. No café.

— A medalha?

— Não — respondi, olhando em seus olhos e fazendo o possível para parecer sóbria. — O que você falou.

— Depois conversamos — disse ele, mudando de assunto.

A declaração de amor. Não tivéramos tempo de conversar, mas poderia convencê-lo de que não era nada daquilo.

— Se você quer que eu viaje com você, precisa me ouvir — disse.

— Não quero conversar aqui. Estamos nos divertindo.

— Você partiu muito cedo de Soria — insisti. — Eu sou apenas um laço com sua terra. Eu o deixei próximo de suas raízes, e isso lhe deu forças para seguir adiante.

"Mas é só. Não pode existir nenhum amor."

Ele me ouviu sem comentar nada. Alguém o chamou para escutar sua opinião, e não consegui continuar a conversa.

"Pelo menos deixei claro o que penso", disse para mim mesma. Não podia existir tal amor, exceto nos contos de fadas.

Porque, na vida real, o amor precisa ser possível. Mesmo que não haja uma retribuição imediata, o amor só consegue sobreviver quando existe a esperança — por mais distante que seja — de que conquistaremos a pessoa amada.

O resto é fantasia.

Como se adivinhasse meu pensamento, ele me levantou um brinde do outro lado da mesa:

— Ao amor! — disse.

Também estava um pouco embriagado. Resolvi aproveitar a oportunidade.

— Aos sábios, capazes de entender que certos amores são tolices de infância — disse eu.

— Aquele que é sábio só é sábio porque ama. E aquele que é tolo só é tolo porque pensa que pode entender o amor — respondeu ele.

As outras pessoas na mesa ouviram o comentário, e no minuto seguinte uma animada discussão sobre o amor começou. Todos tinham uma opinião formada, defendiam seus pontos de vista com unhas e dentes, e várias garrafas de vinho foram necessárias para fazer com que se acalmassem. Finalmente alguém disse que já estava tarde e que o dono do restaurante queria fechar.

— Teremos cinco dias de feriado — gritou alguém de outra mesa. — Se o dono quer fechar o restaurante é porque vocês estavam conversando assuntos sérios!

Todos riram — menos ele.

— Onde devíamos conversar assuntos sérios? — perguntou ao bêbado da outra mesa.

— Na igreja! — disse o bêbado. E, dessa vez, o restaurante inteiro caiu na gargalhada.

Ele se levantou. Pensei que ia brigar, porque havíamos todos voltado à adolescência, onde brigas fazem parte da noite — junto com os beijos, as carícias em lugar proibido, a música alta e a velocidade.

Mas tudo o que fez foi segurar minha mão e se dirigir para a porta.

— É melhor a gente ir — disse. — Está ficando tarde.

Chove em Bilbao e chove no mundo. Quem ama precisa saber se perder e se encontrar. Ele está conseguindo equilibrar bem essas duas partes. Está alegre e canta enquanto voltamos para o hotel.

Son los locos que inventaron el amor.

Embora ainda com a sensação do vinho e das cores fortes, vou aos poucos me equilibrando. Preciso manter o controle da situação, porque quero viajar estes dias.

Será fácil manter esse controle, já que não estou apaixonada. Quem é capaz de domar seu coração é capaz de conquistar o mundo.

Con un poema y un trombón
a develarte el corazón, diz a letra.

"Gostaria de não controlar meu coração", penso. Se conseguisse entregá-lo, nem que fosse apenas por um final de semana, esta chuva caindo em meu rosto teria outro sabor. Se amar fosse fácil, eu estaria abraçada com ele e a letra da música contaria uma história que é nossa história. Se não existisse Zaragoza depois dos feriados, eu ia desejar que o efeito da bebida não passasse nunca, e seria livre para beijá-lo, acariciá-lo, dizer e escutar coisas que os apaixonados dizem entre si.

Mas não. Não posso.

Não quero.

Salgamos a volar, querida mia, diz a letra. Sim, vamos sair e voar. Dentro das minhas condições.

Ele ainda não sabe que minha resposta para seu convite é "sim". Por que quero correr esse risco? Porque neste momento estou bêbada e cansada dos meus dias iguais.

Mas esse cansaço vai passar. E vou querer voltar logo a Zaragoza, a cidade que escolhi para viver. Me esperam os estudos, me espera um concurso público. Me espera um marido que preciso encontrar, o que não será difícil.

Me espera uma vida sossegada, com filhos e netos, com o orçamento equilibrado e férias anuais. Não conheço os pavores dele, mas conheço os meus. Não preciso de medos novos — bastam os que já tenho.

Não poderia — nunca — me apaixonar por alguém como ele. Eu o conheço bem demais, vivemos juntos muito tempo, sei de suas fraquezas e seus temores. Não consigo admirá-lo como as outras pessoas.

Sei que o amor e as represas são iguais: se você deixa uma brecha por onde um fio de água possa se meter, aos poucos ele vai arrebentando as paredes — e chega um momento em que ninguém consegue mais controlar a força da correnteza.

Se as paredes desmoronam, o amor toma conta de tudo; já não interessa o que é possível ou impossível, não interessa se podemos ou não manter a pessoa amada ao nosso lado — amar é perder o controle.

Não, não posso deixar uma brecha. Por menor que seja.

— Um momento!

Ele parou imediatamente de cantar. Os passos rápidos ecoavam no chão molhado.

— Vamos — disse, pegando no meu braço.

— Espere! — gritava um homem. — Preciso falar com você!

Mas ele andava cada vez mais rápido.

— Não é com a gente — disse. — Vamos para o hotel.

Era com a gente: não havia mais ninguém naquela rua. Meu coração disparou e o efeito da bebida desapareceu de imediato. Lembrei que Bilbao era no País Basco e que os atentados terroristas eram frequentes. Os passos foram se aproximando.

— Vamos — disse ele, apertando ainda mais a caminhada.

Mas era tarde. A figura de um homem, molhado dos pés à cabeça, interpôs-se entre nós.

— Parem, por favor! — disse o homem. — Pelo amor de Deus.

Eu estava apavorada, procurando um lugar para fugir, um carro de polícia que pudesse surgir como milagre. Instintivamente, agarrei seu braço — mas ele afastou minhas mãos.

— Por favor! — disse o homem. — Soube que você estava na cidade. Preciso de sua ajuda. É meu filho!

O homem começou a chorar e ajoelhou-se no chão.

— Por favor! — dizia. — Por favor!

Ele respirou fundo, abaixou a cabeça e fechou os olhos. Durante um momento ficou em silêncio, e tudo o que podíamos escutar era o ruído da chuva misturado com os soluços do homem ajoelhado na calçada.

— Vá para o hotel, Pilar — disse finalmente. — E durma. Só devo voltar ao amanhecer.

SEGUNDA-FEIRA,
6 DE DEZEMBRO DE 1993

O amor é cheio de armadilhas. Quando quer se manifestar, mostra apenas a sua luz — e não nos permite ver as sombras que essa luz provoca.

— Olhe a terra à nossa volta — disse ele. — Vamos nos deitar no chão, sentir o coração do planeta batendo.

— Daqui a pouco — respondi. — Não posso sujar o único casaco que trouxe comigo.

Caminhamos por morros plantados de olivais. Depois da chuva de ontem em Bilbao, o sol da manhã me dava a sensação de sonho. Eu não tinha óculos escuros — eu não trouxera nada, porque ia voltar para Zaragoza no mesmo dia. Precisei dormir com uma camisa que ele me emprestou; e comprei uma camiseta na esquina do hotel, para — pelo menos — poder lavar a que estava usando.

— Você deve estar enjoado de me ver com a mesma roupa — digo, brincando, para ver se um assunto banal me traz de volta à realidade.

— Eu estou feliz porque você está aqui.

Ele não tornou a falar de amor desde que me entregou a medalha, mas está bem-humorado, parece que voltou aos dezoito anos. Anda ao meu lado, também mergulhado na claridade desta manhã.

— O que você precisa fazer lá? — perguntei, apontando para as montanhas dos Pireneus, no horizonte.

— Atrás daquelas montanhas está a França — respondeu, sorrindo.

— Eu estudei geografia. Quero apenas saber por que precisamos ir até lá.

Ele ficou algum tempo sem dizer nada, apenas sorrindo.

— Para que você veja uma casa. Quem sabe se interessa por ela.

— Se está pensando em ser corretor de imóveis, esqueça. Não tenho dinheiro.

Para mim, tanto fazia ir até um povoado de Navarra, ou ir até a França. Só não queria passar os feriados em Zaragoza.

"Está vendo?", escutei meu cérebro dizer ao meu coração. "Você está satisfeita por ter aceitado o convite. Você mudou e não percebe isso."

Não, eu não mudei nada. Apenas relaxei um pouco.

— Repare as pedras no chão.

São redondas, sem arestas. Parecem seixos do mar. Entretanto, o mar nunca esteve aqui, nos campos de Navarra.

— Os pés dos trabalhadores, os pés de peregrinos, os pés dos aventureiros moldaram estas pedras — diz ele.
— Elas mudaram, e os viajantes também.

— Foram as viagens que lhe ensinaram tudo o que você sabe?

— Não. Foram os milagres da Revelação.

Eu não entendi, nem procurei me aprofundar. Estava imersa no sol, no campo, nas montanhas do horizonte.

— Aonde estamos indo agora? — perguntei.

— A lugar nenhum. Estamos aproveitando a manhã, o sol, a bela paisagem. Temos uma longa viagem de carro pela frente.

Ele vacila por um momento, e pergunta:

— Você guardou a medalha?

— Guardei — digo, e começo a caminhar mais rápido. Não quero que toque nesse assunto; pode estragar a alegria e a liberdade desta manhã.

Um povoado aparece. À maneira das cidades medievais, ele está no topo de um morro, e posso ver — à distância — a torre de sua igreja e as ruínas de um castelo.

— Vamos até lá — peço.

Ele fica em dúvida, mas acaba concordando. Existe uma capela no caminho e tenho vontade de entrar ali. Não sei mais rezar, mas o silêncio das igrejas sempre me tranquiliza.

"Não se sinta culpada", digo para mim mesma. "Se ele está apaixonado, é problema dele."

Ele perguntou sobre a medalha. Sei que esperava que eu voltasse à nossa conversa no café. Ao mesmo tempo, tem medo de escutar o que não quer ouvir — por isso não vai adiante, não toca no assunto.

Pode ser que realmente me ame. Mas vamos conseguir transformar esse amor em algo diferente, mais profundo.

"Ridículo", penso comigo mesma. "Não existe nada mais profundo do que o amor. Nos contos infantis, as princesas beijam os sapos e eles se transformam em príncipes. Na vida real, as princesas beijam os príncipes e eles se transformam em sapos."

Depois de quase meia hora de caminhada, chegamos à capela. Um velho está sentado em seus degraus.

É a primeira pessoa que vemos desde que começamos a andar — porque é final de outono e os campos estão de novo entregues ao Senhor, que fertiliza a terra com sua bênção e permite que o homem arranque o sustento com o suor do seu rosto.

— Bom dia — diz ele ao homem.

— Bom dia.

— Como se chama aquele povoado?

— San Martín de Unx.

— Unx? — digo eu. — Parece nome de gnomo!

O velho não entende a brincadeira. Meio sem graça, eu caminho até a porta da capela.

— Não pode entrar — diz o velho. — Fechou ao meio-dia. Se quiser, pode voltar às quatro da tarde.

A porta está aberta. Estou vendo seu interior — embora sem nitidez, por causa da claridade aqui fora.

— Só um minuto. Gostaria de fazer uma prece.

— Sinto muito. Já está fechada.

Ele escuta a minha conversa com o velho. Não diz nada.

— Está bem, vamos embora — digo. — Não adianta ficar discutindo.

Ele continua olhando para mim; seus olhos estão vazios, distantes.

— Você não quer ver a capela? — pergunta.

Sei que não gostou de minha atitude. Deve ter me achado fraca, covarde, incapaz de lutar pelo que quero. Sem que seja necessário um beijo, a princesa se transforma em sapo.

— Lembre-se de ontem — digo. — Você encerrou a conversa no bar porque não estava com vontade de discutir. Agora, quando faço a mesma coisa, você me repreende.

O velho olha, impassível, nossa discussão. Deve estar contente porque algo está acontecendo ali, diante dele — num lugar onde todas as manhãs, todas as tardes e todas as noites são iguais.

— A porta da igreja está aberta — diz ele, dirigindo-se ao velho. — Se você quer dinheiro, podemos lhe dar um pouco. Mas ela quer ver a igreja.

— Já passou da hora.

— Então está bem. Vamos entrar de qualquer jeito.

Ele me pega pelo braço e entra comigo.

Meu coração dispara. O velho pode ficar agressivo, chamar a polícia, estragar nossa viagem.

— Por que você está fazendo isto?

— Porque você quer ir à capela — é sua resposta.

Mas eu nem consigo olhar direito o que existe ali dentro; aquela discussão — e minha atitude — tirou o encanto de uma manhã quase perfeita.

Meu ouvido está atento ao que se passa lá fora — a todo minuto imagino o velho saindo e a polícia do povoado chegando. Invasores de capelas. Ladrões. Estão fazendo algo proibido, violando a lei. O velho disse que estava fechada, que não era mais hora de visita! Ele é um pobre velho, incapaz de nos deter — e a polícia será mais dura porque desrespeitamos um ancião.

Fico lá dentro apenas o tempo suficiente para mostrar que estou à vontade. O coração continua batendo tão forte que tenho medo de ele escutar.

— Podemos ir — digo, depois do que imaginei ser o tempo necessário para se rezar uma ave-maria.

— Não tenha medo, Pilar. Você não pode "contracenar".

Eu não desejava que o problema com o velho se transformasse num problema com ele. Precisava manter a calma.

— Não sei o que é "contracenar" — respondo.

— Certas pessoas vivem brigadas com alguém, brigadas consigo mesmas, brigadas com a vida. Então elas começam a criar uma espécie de peça de teatro na cabeça delas, e escrevem o roteiro de acordo com suas frustrações.

— Eu conheço muita gente assim. Sei do que está falando.

— O pior, porém, é que elas não podem representar essa peça de teatro sozinhas — continua. — Então começam a convocar outros atores.

"Foi o que este sujeito aí fora fez. Queria se vingar de alguma coisa e nos escolheu para isso. Se tivéssemos aceitado sua proibição, estaríamos agora arrependidos e derrotados. Teríamos aceitado fazer parte de sua vida mesquinha e de suas frustrações.

"A agressividade deste senhor era visível, foi fácil evitar que contracenássemos. Outras pessoas, entretanto, nos 'convocam' quando começam a se comportar como vítimas, reclamando das injustiças da vida, pedindo que a gente concorde, dê conselhos, participe."

Ele me olhou dentro dos olhos.

— Cuidado — disse. — Quando se entra nesse jogo, sempre se sai perdendo.

Ele tinha razão. Mesmo assim, eu estava me sentindo pouco à vontade ali dentro.

— Já rezei. Já fiz o que queria. Agora podemos sair.

Saímos. O contraste entre a escuridão da capela e o sol forte lá fora me cega por instantes. Assim que meus olhos se acostumam, noto que o velho não está mais lá.

— Vamos almoçar — diz ele, andando em direção à cidade.

Bebo dois copos de vinho no almoço. Nunca bebi assim em minha vida. Estou virando alcoólatra.

"Que exagero."

Ele conversa com o garçom. Descobre que existem várias ruínas romanas pelas redondezas. Procuro acompanhar a conversa, mas não consigo esconder o meu mau humor.

A princesa virou sapo. Que importância tem isso? A quem preciso provar qualquer coisa se não estou buscando nada — nem homem, nem amor?

"Eu já sabia", penso. "Sabia que ia desequilibrar meu mundo. O cérebro avisou — e o coração não quis seguir o conselho."

Tive que pagar um preço alto para conseguir o pouco que tenho. Precisei renunciar a tantas coisas que desejava, abrir mão de tantos caminhos que apareceram na minha frente. Sacrifiquei meus sonhos em nome de um sonho maior — a paz de espírito. Não quero abrir mão desta paz.

— Você está tensa — diz ele, interrompendo a conversa com o garçom.

— Sim, estou. Acho que aquele velho foi chamar a polícia. Acho que esta cidade é pequena e eles sabem onde estamos. Acho que essa sua teimosia em almoçar aqui pode acabar com nosso feriado.

Ele fica girando o copo de água mineral. Deve saber que não é nada disso — que na verdade estou envergonhada. Por que fazemos isso com nossas vidas? Por que vemos o cisco no olho e não vemos as montanhas, os campos e as oliveiras?

— Escute: não vai acontecer nada disso — diz ele. — O velho já voltou para a sua casa e nem se lembra mais do episódio. Confie em mim.

"Não estou tensa por isso, seu tolo", penso.

— Escute mais o seu coração — ele continua.

— É justamente isto: estou escutando — respondo. — E prefiro sair daqui. Não estou à vontade.

— Não beba mais durante o dia. Não ajuda em nada.

Até aquele momento, eu estava me controlando. Agora, é melhor falar tudo o que preciso.

— Você acha que sabe tudo — digo. — Que entende de instantes mágicos, de crianças interiores. Não sei o que está fazendo ao meu lado.

Ele ri.

— Eu te admiro — diz. — E admiro a luta que está travando contra seu coração.

— Que luta?

— Nada — responde.

Mas eu sei o que ele quer dizer.

— Não se iluda — respondo. — Se você quiser, podemos falar sobre isso. Você está enganado a respeito dos meus sentimentos.

Ele para de girar o copo e me encara:

— Não estou. Sei que você não me ama.

Aquilo me deixa ainda mais desorientada.

— Mas vou lutar por isso — continua. — Existem coisas na vida pelas quais vale a pena lutar até o fim.

Suas palavras me deixam sem resposta.

— Você vale a pena — diz ele.

Eu olho para o outro lado e procuro fingir que estou interessada na decoração do restaurante. Estava me sentindo um sapo e volto a ser uma princesa.

"Quero acreditar em suas palavras", penso enquanto olho um quadro com pescadores e barcos. "Não vai mudar nada, mas pelo menos não vou me sentir tão fraca, tão incapaz."

— Desculpe minha agressividade — digo.

Ele sorri. Chama o garçom e paga a conta.

No caminho de volta estou mais confusa. Pode ser o sol — mas não, é outono e o sol não esquenta nada. Pode ser o velho — mas o velho saiu de minha vida há algum tempo.

Pode ser tudo aquilo que é novo. Sapato novo incomoda. A vida não é diferente: nos pega desprevenidos e nos obriga a caminhar para o desconhecido — quando não queremos, quando não precisamos.

Tento me concentrar na paisagem, mas não consigo mais ver os campos de oliva, a cidadezinha no monte, a capela que tinha um velho na porta. Nada disso me é familiar.

Lembro a bebedeira de ontem e a música que ele cantava:

Las tardicitas de Buenos Aires tienen este no sé...
¿que sé yo?
Viste, sali de tu casa, por Arenales...

Por que Buenos Aires, se estávamos em Bilbao? Que rua é esta, Arenales? O que ele queria?

— Que música é aquela que você cantou ontem? — pergunto.

— "Balada para um louco" — diz ele. — Por que só perguntou isso hoje?

— Por nada — respondo.

Mas sim, tem um motivo. Sei que ele cantou essa música porque é uma armadilha. Ele me fez decorar a letra — e eu tenho que decorar as matérias para a prova. Podia ter cantado uma música conhecida, que eu já tivesse ouvido milhares de vezes — mas preferiu algo que eu nunca tivesse escutado.

É uma armadilha. Assim, quando mais tarde essa música tocar no rádio, ou num disco, eu vou me lembrar dele, de Bilbao, da época em que o outono de minha vida se transformou de novo em primavera. Eu vou lembrar a excitação, a aventura e a criança que renasceu sabe Deus de onde.

Ele pensou tudo isso. Ele é sábio, experiente, vivido, e sabe como conquistar a mulher que deseja.

"Estou ficando louca", digo para mim mesma. Acho que sou alcoólatra porque bebi dois dias seguidos. Acho que ele sabe todos os truques. Acho que me controla e me governa com sua doçura.

"Admiro a luta que você está travando contra seu coração", disse ele no restaurante.

Mas está enganado. Porque já lutei e venci meu coração há muito tempo. Não vou me apaixonar pelo impossível.

Conheço meus limites e minha capacidade de sofrer.

— Fale alguma coisa — peço enquanto andamos de volta para o carro.

— O quê?

— Qualquer coisa. Converse comigo.

Ele começa a me contar algo sobre as aparições da Virgem Maria em Fátima. Não sei de onde tirou esse assunto — mas consigo me distrair com a história dos três pastores que conversaram com Ela.

Aos poucos meu coração sossega. Sim, eu conheço bem os meus limites e sei me controlar.

Chegamos à noite, com uma névoa tão forte que mal dava para distinguir onde estávamos. Eu enxergava apenas uma pequena praça, um lampião, algumas casas medievais mal iluminadas pela luz amarela e um poço.

— A névoa! — disse ele, excitado.

Fiquei sem entender.

— Estamos em Saint-Savin — completou.

O nome não me dizia nada. Mas estávamos na França, e isso me deixava excitada.

— Por que este lugar? — perguntei.

— Por causa da casa que quero lhe vender — respondeu ele, rindo. — Além disso, prometi que ia voltar no dia da Imaculada Conceição.

— Aqui?

— Aqui perto.

Ele parou o carro. Quando saltamos, me pegou pela mão e começamos a caminhar no meio da névoa.

— Este lugar entrou na minha vida sem que eu esperasse — disse.

"Você também", pensei.

— Aqui, um dia, achei que tinha perdido meu caminho. E não era bem assim: na verdade, eu o havia reencontrado.

— Você fala por enigmas — eu disse.

— Foi aqui que eu entendi como você fazia falta na minha vida.

Voltei a olhar ao redor. Não podia compreender por quê.

— O que tem isso a ver com seu caminho?

— Vamos conseguir um quarto, porque os dois únicos hotéis desta cidadezinha só funcionam no verão. Depois jantaremos num bom restaurante, sem tensão, sem medo da polícia, sem precisar voltar correndo para o carro.

"E, quando o vinho soltar nossas línguas, conversaremos muito."

Rimos juntos. Eu já estava mais relaxada. Durante a viagem, me dera conta das tolices que havia pensado. Enquanto cruzávamos a cadeia de montanhas que separa a França da Espanha, pedi a Deus que lavasse minha alma da tensão e do medo.

Já estava cansada de fazer um papel infantil, agindo igual a muitas amigas — que tinham medo do amor impossível e nem sabiam direito o que era "amor impossível". Se continuasse assim, ia perder tudo de bom que aqueles poucos dias junto a ele me podiam dar.

"Cuidado", pensei. "Cuidado com a brecha na represa. Se ela surgir, nada neste mundo conseguirá fechá-la."

— Que a Virgem nos proteja daqui por diante — disse ele. Eu não respondi.

— Por que você não disse "amém"? — perguntou.

— Porque já não acho tão importante. Houve uma época em que a religião fazia parte da minha vida, mas esse tempo passou.

Ele deu meia-volta e começamos a andar até o carro.

— Ainda rezo — continuei. — Fiz isso enquanto cruzávamos os Pireneus. Mas é algo automático, nem sei se confio muito.

— Por quê?

— Porque sofri e Deus não me escutou. Porque muitas vezes na minha vida tentei amar com todo o meu coração e o amor terminou sendo pisado, traído. Se Deus é amor, devia ter cuidado melhor do meu sentimento.

— Deus é amor. Mas quem entende bem do assunto é a Virgem.

Eu caí na gargalhada. Quando tornei a olhar para ele, vi que estava sério — não fora uma piada.

— A Virgem entende o mistério da entrega total — continuou ele. — E, por ter amado e sofrido, nos libertou da dor. Da mesma maneira que Jesus nos libertou do pecado.

— Jesus era o filho de Deus. A Virgem foi apenas uma mulher que teve a graça de recebê-lo em seu ventre — respondi. Queria consertar a risada fora de hora, queria que soubesse que respeitava sua fé. Mas fé e amor não se discutem, principalmente numa linda cidadezinha como aquela.

Ele abriu a porta do carro e pegou as duas sacolas. Quando tentei pegar a minha bagagem de suas mãos, ele sorriu.

— Deixe que eu carrego sua sacola — disse.

"Há quanto tempo ninguém me trata assim", pensei.

Batemos na primeira porta; a mulher disse que não alugava quartos. Na segunda porta ninguém veio atender. Na terceira, um velhinho gentil nos recebeu bem —

mas, quando olhamos o quarto, só havia uma cama de casal. Eu me recusei.

— Talvez seja melhor irmos para uma cidade maior — sugeri quando saímos.

— Vamos conseguir um quarto — respondeu ele. — Você conhece o exercício do Outro? Ele faz parte de uma história escrita há cem anos, cujo autor...

— Esqueça o autor e me conte a história — peço enquanto andamos pela única praça de Saint-Savin.

— *Um sujeito encontra um velho amigo — que vive tentando acertar na vida, sem resultado. "Vou ter que dar uns trocados para ele", pensa. Acontece que, naquela noite, descobre que seu velho amigo está rico e veio pagar todas as dívidas que havia contraído no decorrer dos anos.*

Vão até um bar que costumavam frequentar juntos e ele paga a bebida de todos. Quando lhe indagam a razão de tanto êxito, responde que até dias atrás estava vivendo o Outro.

— *O que é o Outro? — perguntam.*

— *O Outro é aquele que me ensinaram a ser, mas que não sou eu. O Outro acredita que a obrigação do homem é passar a vida inteira pensando em como juntar dinheiro para não morrer de fome quando ficar velho. Tanto pensa, e tanto faz planos, que só descobre que está vivo quando seus dias na Terra estão quase terminando. Mas aí é tarde demais.*

— *E você, quem é?*

— *Eu sou o que qualquer um de nós é, se escutar seu coração. Uma pessoa que se deslumbra diante do mistério da vida, que está aberta aos milagres, que sente alegria e entusiasmo pelo que faz. Só que o Outro, com medo de decepcionar-se, não me deixava agir.*

— Mas existe sofrimento — dizem as pessoas no bar.

— Existem derrotas. Mas ninguém escapa delas. Por isso, é melhor perder alguns combates na luta por seus sonhos que ser derrotado sem sequer saber por que você está lutando.

— Só isso? — perguntam as pessoas no bar.

— Sim. Quando descobri isso, acordei decidido a ser o que realmente sempre desejei. O Outro ficou ali, no meu quarto, me olhando, mas não o deixei mais entrar, embora tenha procurado me assustar algumas vezes, me alertando para os riscos de não pensar no futuro.

"A partir do momento em que expulsei o Outro da minha vida, a energia divina operou seus milagres."

"Acho que ele inventou esta história. Pode ser bonita, mas não é verdadeira", pensei enquanto continuávamos procurando um lugar para ficar. Saint-Savin não tinha mais que trinta casas, e em breve teríamos que fazer o que eu havia sugerido — ir para uma cidade maior.

Por mais entusiasmo que ele tivesse, por mais que o Outro já estivesse longe de sua vida, os habitantes de Saint-Savin não sabiam que seu sonho era dormir ali aquela noite, e não iam ajudar em nada. Entretanto, enquanto ele contava a história, parecia estar vendo a mim mesma; os medos, a insegurança, a vontade de não enxergar tudo o que é maravilhoso — porque amanhã pode acabar, e vamos sofrer.

Os deuses jogam dados e não perguntam se queremos participar do jogo. Não querem saber se você deixou um homem, uma casa, um trabalho, uma carreira, um sonho. Os deuses não ligam para o fato de você ter uma vida em que cada coisa está em seu canto, cada desejo pode ser conseguido com trabalho e persistência. Os deuses não levam em conta os nossos planos e nossas esperanças; em algum lugar do Universo, eles jogam os dados — e você, por acaso, é escolhido. A partir daí, ganhar ou perder é uma questão de chance.

Os deuses jogam os dados e libertam o Amor de sua jaula. Essa força que pode criar ou pode destruir — dependendo da direção em que o vento sopra no momento em que ela sai da prisão.

Por enquanto essa força estava soprando para o lado dele. Mas os ventos são tão caprichosos como os deuses — e, no fundo do meu ser, eu começava a sentir algumas rajadas.

Como se o destino quisesse me mostrar que a história do Outro era verdadeira — e o Universo sempre conspira a favor dos sonhadores —, encontramos uma casa para ficar, com um quarto e duas camas separadas. Minha primeira providência foi tomar um banho, lavar minha roupa e colocar a camiseta que havia comprado. Senti-me nova — e isso me deixou mais segura.

"Quem sabe a Outra não gosta desta camiseta", ri para mim mesma.

Depois de jantar com os donos da casa — os restaurantes também estavam fechados no outono e no inverno —, ele pediu uma garrafa de vinho, prometendo comprar outra no dia seguinte.

Vestimos os casacos, pegamos dois copos emprestados e saímos.

— Vamos sentar na beira do poço — disse eu.

Ficamos ali, bebendo para afastar o frio e a tensão.

— Parece que o Outro voltou a encarnar em você — brinquei. — O seu humor piorou.

Ele riu.

— Falei que íamos conseguir um quarto e conseguimos. O Universo sempre nos ajuda a lutar por nossos sonhos, por mais tolos que possam parecer. Porque são nossos sonhos, e só nós sabemos quanto nos custa sonhá-los.

A névoa, que o lampião coloria de amarelo, não nos deixava enxergar direito o outro lado da praça.

Respirei fundo. O assunto não podia mais ser adiado.

— Ficamos de falar de amor — continuei. — Não podemos mais evitar. Você sabe como tenho passado estes dias.

"Por mim, este assunto nem teria surgido. Mas, já que aconteceu, não consigo deixar de pensar nele."

— Amar é perigoso.

— Sei disso — respondi. — Já amei antes. Amar é como uma droga. No começo vem a sensação de euforia, de total entrega. Depois, no dia seguinte, você quer mais. Ainda não se viciou, mas gostou da sensação e acha que pode mantê-la sob controle. Pensa na pessoa amada durante dois minutos e esquece por três horas.

"Mas, aos poucos, você se acostuma com aquela pessoa e passa a depender completamente dela. Então pensa por três horas e esquece por dois minutos. Se ela não está perto, você experimenta as mesmas sensações que os viciados têm quando não conseguem a droga. Nesse momento, assim como os viciados roubam e se humilham para conseguir o que precisam, você está disposto a fazer qualquer coisa pelo amor."

— Que exemplo horrível — disse ele.

Era realmente um exemplo horrível, que não combinava com o vinho, com o poço, com as casas medievais em torno da pequena praça. Mas era verdade. Se ele tinha dado tantos passos por causa do amor, precisava conhecer os riscos.

— Por isso, só devemos amar quem podemos ter por perto — concluí.

Ele ficou um longo tempo olhando a névoa. Parecia que não ia mais pedir que navegássemos pelas águas perigosas de uma conversa sobre o amor. Eu estava sendo dura, mas não havia outro jeito.

"Encerramos o assunto", pensei.

A convivência de três dias — e, ainda por cima, com ele me vendo usar a mesma roupa o tempo todo — foi suficiente para fazê-lo mudar de ideia. Meu orgulho de mulher sentiu-se ferido, mas o coração bateu mais aliviado.

"Será que eu quero isso mesmo?"

Porque eu já começava a sentir as tempestades que os ventos do amor trazem consigo. Eu já começava a notar um furo na parede da represa.

Ficamos um longo tempo bebendo, sem conversar coisas sérias. Comentamos sobre os donos da casa e o santo que fundou aquele povoado. Ele me contou algumas lendas sobre a igreja do outro lado da pracinha — e que eu mal conseguia distinguir, por causa da névoa.

— Você está distraída — disse a certa altura.

Sim, minha mente estava voando. Gostaria de estar ali com alguém que me deixasse o coração em paz, com alguém com quem pudesse viver aquele momento sem medo de perdê-lo no dia seguinte. Então o tempo passaria mais devagar, poderíamos ficar em silêncio — já que teríamos o resto da vida para conversar. Eu não precisaria estar me preocupando com assuntos sérios, decisões difíceis, palavras duras.

Estamos em silêncio — e isto é um sinal. Pela primeira vez estamos em silêncio, embora só tenha notado isso agora, quando ele se levantou para buscar mais uma garrafa de vinho.

Estamos em silêncio. Escuto o ruído dos seus passos voltando até o poço onde estamos juntos há mais de uma hora, bebendo e olhando a névoa.

Pela primeira vez estamos em silêncio de verdade. Não é o silêncio constrangedor do carro, quando viajamos de Madri para Bilbao. Não é o silêncio do meu coração com medo, quando estava dentro da capela perto de San Martín de Unx.

É um silêncio que fala. Um silêncio que me diz que não precisamos mais ficar explicando coisas um para o outro.

Os seus passos cessaram. Ele está me olhando — e deve ser lindo o que vê: uma mulher sentada à beira de um poço, numa noite de névoa, à luz de um lampião.

As casas medievais, a igreja do século xi e o silêncio.

A segunda garrafa de vinho já está quase pela metade quando resolvo falar.

— Hoje de manhã, eu já estava me convencendo de que sou alcoólatra. Bebo o dia inteiro. Nestes três dias bebi mais que em todo o ano passado.

Ele passa a mão na minha cabeça sem dizer nada. Eu sinto seu toque e nada faço para afastá-lo.

— Me conte um pouco da sua vida — peço.

— Não tem grandes mistérios. Existe o meu caminho, e eu faço o possível para percorrê-lo com dignidade.

— Qual é seu caminho?

— O caminho de quem procura o amor.

Ele fica um momento brincando com a garrafa quase vazia.

— E o amor é um caminho complicado — conclui.

— Porque, nesse caminho, ou as coisas nos levam ao céu, ou nos atiram no inferno — digo, sem ter certeza de que está se referindo a mim.

Ele não diz nada. Talvez ainda esteja mergulhado no oceano do silêncio, mas o vinho soltou de novo minha língua e tenho necessidade de falar.

— Você disse que algo aqui nesta cidade mudou o seu rumo.

— Acho que mudou. Não tenho ainda certeza, por isso queria trazê-la até aqui.

— É um teste?

— Não. É uma entrega. Para que ela me ajude a tomar a melhor decisão.

— Quem?

— A Virgem.

A Virgem. Eu devia ter deduzido. Fico impressionada ao ver como tantos anos de viagens, de descobertas, de novos horizontes não o tenham libertado do catolicismo da infância. Pelo menos nisso eu e nossos amigos havíamos evoluído muito — já não vivíamos mais sob o peso da culpa e dos pecados.

— É impressionante que, depois de tudo o que você passou, ainda mantenha a mesma fé.

— Não mantive. Perdi e recuperei.

— Mas em Virgens? Em coisas impossíveis e fantasiosas? Você não teve uma vida sexual ativa?

— Normal. Me apaixonei por muitas mulheres.

Sinto uma ponta de ciúme e fico surpresa com minha reação. Mas a luta interior parece ter sossegado e não quero tornar a despertá-la.

— Por que ela é "A Virgem"? Por que não nos mostram Nossa Senhora como uma mulher normal, igual a todas?

Ele termina com o pouco que resta na garrafa. Me pergunta se quero que vá buscar mais uma e eu digo que não.

— Quero mesmo é que me responda. Sempre que começamos certos assuntos, você começa a falar de outra coisa.

— Ela foi normal. Teve outros filhos. A Bíblia nos conta que Jesus teve mais dois irmãos.

"A virgindade na conceição de Jesus se deve a outro fato: Maria inicia uma nova era de graça. Ali começa outra etapa. Ela é a noiva cósmica, a Terra, que se abre para o céu e se deixa fertilizar.

"Nesse momento, graças a sua coragem de aceitar o próprio destino, ela permite que Deus venha à Terra. E se transforma na Grande Mãe."

Eu não estou conseguindo acompanhar suas palavras. Ele percebe isso.

— Ela é o rosto feminino de Deus. Ela tem sua própria divindade.

Suas palavras saem tensas, quase forçadas, como se estivesse cometendo um pecado.

— Uma deusa? — pergunto.

Espero um pouco, para que me explique melhor, mas ele não segue adiante com a conversa. Há poucos minutos, eu pensava com ironia no seu catolicismo. Agora, suas palavras me parecem blasfêmia.

— Quem é a Virgem? O que é a Deusa? — Sou eu quem retoma o assunto.

— É difícil explicar — diz ele, cada vez mais desconfortável. — Tenho alguma coisa escrita comigo. Se você quiser, pode ler.

— Não vou ler nada agora, quero que me explique — insisto.

Ele procura a garrafa de vinho, mas ela está vazia. Já não nos lembramos mais do que nos trouxe até o poço. Algo importante está presente — como se suas palavras estivessem operando algum milagre.

— Continue falando — insisto.

— Seu símbolo é a água, a névoa à sua volta. A Deusa usa a água para se manifestar.

A bruma parece ganhar vida e transformar-se em algo sagrado — embora eu continue sem entender direito o que ele está dizendo.

— Não quero lhe falar nada de história. Se você quiser saber a respeito, pode ler no texto que trouxe comigo. Mas saiba que esta mulher — a Deusa, a Virgem Maria, a Shechinah judaica, a Grande Mãe, Ísis, Sofia, serva e senhora — está presente em todas as religiões da Terra. Foi esquecida, proibida, disfarçada, mas seu culto seguiu de milênio a milênio e chegou até os dias de hoje.

"Uma das faces de Deus é a face de uma mulher."

Olhei para o seu rosto. Seus olhos brilhavam e estavam fixos na névoa à nossa frente. Vi que não precisava mais insistir para que continuasse.

— Ela está presente no primeiro capítulo da Bíblia, quando o espírito de Deus paira sobre as águas e Ele as coloca embaixo e em cima das estrelas. É o casamento místico da Terra com o Céu.

Ela está presente no último capítulo da Bíblia, quando
o Espírito e a noiva dizem: Vem.
Aquele que ouve diga: Vem.
Aquele que tem sede, vem,
e quem quiser receba de graça a água da vida.

— Por que o símbolo da face feminina de Deus é a água?

— Não sei. Mas ela geralmente escolhe esse meio para se manifestar. Talvez por ser a fonte da vida; somos gerados no meio da água, durante nove meses permanecemos nela.

"A água é o símbolo do Poder da mulher, o poder que nenhum homem, por mais iluminado ou perfeito que seja, pode almejar."

Ele para por um momento, mas logo retoma a conversa.

— Em cada religião, em cada tradição, Ela se manifesta de uma maneira, mas sempre se manifesta. Como sou católico, consigo enxergá-la quando estou diante da Virgem Maria.

Me pega pelas mãos e, em menos de cinco minutos de caminhada, saímos de Saint-Savin. Passamos por uma coluna na estrada — com algo estranho em cima: uma cruz, e a imagem da Virgem no lugar onde devia estar Jesus Cristo. Lembro suas palavras e fico surpresa com a coincidência.

Agora estamos completamente envoltos pela escuridão e pela bruma. Começo a me imaginar na água, no ventre materno — onde o tempo e o pensamento não existem. Tudo o que ele está dizendo parece fazer sentido, um sentido terrível. Lembro-me da senhora na conferência. Lembro-me da moça me levando até a praça. Também ela dissera que a água era o símbolo da Deusa.

— A vinte quilômetros daqui existe uma gruta — continua. — Em 11 de fevereiro de 1858, uma menina juntava lenha ali perto com duas outras crianças. Era uma garota frágil, asmática, cuja pobreza chegava à beira da miséria. Naquele dia de inverno, teve medo de atravessar um pequeno riacho; podia se molhar, cair doente, e seus pais precisavam do pouco dinheiro que ganhava como pastora.

"Foi então que uma mulher vestida de branco, com duas rosas douradas nos pés, apareceu. Tratou a menina como se fosse uma princesa, pediu *por favor* que voltasse ali um determinado número de vezes e desapareceu. As duas outras crianças, que a tinham visto em transe, logo espalharam a história.

"A partir daí, começou um longo calvário para ela. Foi presa, e exigiram que negasse tudo. Foi tentada com dinheiro, para que pedisse favores especiais à Aparição. Nos primeiros dias, sua família era insultada em praça pública — diziam que ela fazia tudo aquilo para chamar atenção.

"A menina, que se chamava Bernadette, não tinha a menor ideia do que estava vendo. Chamava a tal senhora de '*Aquilo*', e seus pais, aflitos, foram buscar socorro junto ao padre da aldeia. O padre sugeriu que, na próxima aparição, ela perguntasse o nome da tal mulher.

"Bernadette fez o que o padre mandou, mas a resposta foi apenas um sorriso. 'Aquilo' apareceu um total de dezoito vezes, a maior parte delas sem dizer nada. Em uma dessas vezes, pede que a menina beije a terra. Mesmo sem entender, Bernadette faz o que 'Aquilo' manda. Um dia, pede que a menina cave um buraco no chão da gruta. Bernadette obedece e logo surge um pouco de água lamacenta, porque ali eram guardados porcos.

"— *Beba esta água* — diz a senhora.

"A água está tão suja que Bernadette pega e joga fora por três vezes, sem coragem de levar à boca. Mas termina obedecendo, embora repugnada. No lugar onde cavou, mais água começa a brotar. Um homem cego de um olho passa algumas gotas no rosto e recupera a visão. Uma mulher, desesperada porque seu filho recém-nascido estava morrendo, mergulha o menino na fonte num dia em que a temperatura havia caído abaixo de zero. O menino fica curado.

"Aos poucos a notícia se espalha, e milhares de pessoas começam a acorrer ao local. A menina continua insistindo em saber o nome da senhora, mas ela apenas sorri.

"Até que, um belo dia, 'Aquilo' se vira para Bernadette e diz:

"— *Eu sou a Imaculada Conceição.*

"Satisfeita, a menina vai correndo contar ao pároco.

"— Não pode ser — diz ele. — Ninguém pode ser a árvore e o fruto ao mesmo tempo, minha filha. Vá lá e jogue água benta nela.

"Para o padre, apenas Deus pode existir desde o princípio, e Deus, ao que tudo indica, é homem."

Ele faz uma longa pausa.

— Bernadette joga água benta em "Aquilo". A Aparição sorri com ternura, nada mais.

"No dia 16 de julho, a mulher aparece pela última vez. Pouco depois disso, Bernadette entra para um convento, sem saber que havia mudado por completo o destino daquela pequena aldeia ao lado da gruta. A fonte continua a jorrar e os milagres se sucedem.

"A história corre primeiro pela França e depois pelo mundo inteiro. A cidade cresce e se transforma. Os comerciantes chegam e começam a ocupar o local. Hotéis são abertos. Bernadette morre e é enterrada longe dali, sem saber o que está acontecendo.

"Algumas pessoas, para colocar a Igreja em dificuldades, já que a essa altura o Vaticano admite as aparições, começam a inventar milagres falsos que depois são desmascarados. A Igreja reage com rigor: a partir de determinada data, só aceita como milagres os fenômenos que são submetidos a uma série de rigorosos exames feitos por juntas médicas e científicas.

"Mas a água continua a jorrar e as curas continuam."

* * *

Parece que escuto alguma coisa perto de nós. Sinto medo, mas ele não se mexe. A névoa agora tem vida e tem história. Fico pensando em tudo o que está dizendo e na pergunta cuja resposta não entendi: como sabe tudo isso?

Fico pensando na face feminina de Deus. O homem ao meu lado tem a alma cheia de conflitos. Há pouco me escreveu dizendo que queria entrar para um seminário católico, mas acha que Deus tem uma face feminina.

Ele fica quieto. Eu continuo me sentindo no ventre da Mãe Terra, sem tempo e sem espaço. A história de Bernadette parece se desenrolar diante de meus olhos, na bruma que nos envolve.

Então ele volta a falar:

— Bernadette não sabia duas coisas importantíssimas — diz. — A primeira era que, antes que a religião cristã chegasse aqui, estas montanhas eram habitadas por celtas e a Deusa era a principal devoção dessa cultura. Gerações e gerações entendiam a face feminina de Deus e compartilhavam de Seu amor e de Sua glória.

— E a segunda?

— A segunda era que, pouco antes de Bernadette ter suas visões, as altas autoridades do Vaticano se reuniram secretamente.

"Quase ninguém sabia o que se passava naquelas reuniões, e, com toda a certeza, o padre da aldeia de Lourdes não tinha a menor ideia. A alta cúpula da Igreja católica estava decidindo se devia declarar o dogma da Imaculada Conceição.

"O dogma terminou sendo declarado através da bula papal *Ineffabilis Deus*. Mas sem esclarecer exatamente, para o grande público, o que isso significava."

— E o que você tem com tudo isso? — pergunto.

— Eu sou Seu discípulo. Eu tenho aprendido com Ela — diz, sem saber que está também dizendo a fonte de tudo o que sabe.

— Você A vê?

— Sim.

Voltamos para a praça e cruzamos os poucos metros que nos separam da igreja. Vejo o poço, a luz do lampião e a garrafa de vinho com os dois copos na borda. "Ali devem ter estado dois namorados", penso. "Em silêncio, enquanto os corações falavam entre si. E, depois que os corações disseram tudo, começaram a compartilhar os grandes mistérios."

Mais uma vez, nenhuma conversa sobre amor terminou acontecendo. Não importa. Sinto que estou diante de algo muito sério e tenho que aproveitar para entender tudo o que puder. Por um momento lembro meus estudos, Zaragoza, o homem da minha vida que pretendo encontrar — mas isso agora me parece distante, envolto na mesma bruma que se espalha por Saint-Savin.

— Por que você me contou toda essa história de Bernadette? — pergunto.

— Não sei o motivo exato — responde ele, sem me olhar direto nos olhos. — Talvez porque estejamos perto de Lourdes. Talvez porque depois de amanhã seja o dia da Imaculada Conceição. Talvez porque eu queira lhe mostrar que meu mundo não é tão solitário e louco como pode parecer.

"Outras pessoas fazem parte dele. E acreditam no que estão dizendo."

— Nunca disse que seu mundo é louco. Talvez louco seja o meu: gasto o tempo mais importante da minha vida atrás de cadernos e estudos, que não vão me fazer sair de um lugar que já conheço.

Senti que estava mais aliviado: eu o compreendia.

Esperei que continuasse a falar da Deusa, mas ele se virou para mim:

— Vamos dormir — disse. — Bebemos muito.

TERÇA-FEIRA,
7 DE DEZEMBRO DE 1993

Ele dormiu logo. Eu fiquei um longo tempo acordada, pensando na neblina, na praça lá fora, no vinho e na conversa. Li o manuscrito que me emprestou e me senti feliz; Deus — se realmente existisse — era Pai e Mãe.

Depois, apaguei a luz e fiquei pensando no silêncio junto ao poço. Naqueles momentos em que não conversamos foi que percebi como estava próxima dele.

Nenhum dos dois havia dito nada. É desnecessário conversar sobre amor, porque o amor tem sua própria voz e fala por si próprio. Naquela noite, à beira do poço, o silêncio permitiu que nossos corações se aproximassem e se conhecessem melhor. Então, meu coração escutou o que seu coração dizia e sentiu-se feliz.

Antes de fechar os olhos, resolvi fazer o que ele chamava de "exercício do Outro".

"Estou aqui neste quarto", pensei. "Longe de tudo com que estou acostumada, conversando sobre coisas pelas quais nunca me interessei e dormindo numa cidade onde jamais coloquei os pés. Posso fingir, por alguns minutos, que sou diferente."

Comecei a imaginar como gostaria de estar vivendo naquele momento. Eu gostaria de estar alegre, curiosa, feliz. Vivendo intensamente cada instante, bebendo com sede da água da vida. Confiando novamente nos sonhos. Capaz de lutar pelo que queria.

Amando um homem que me amava.

Sim, esta era a mulher que eu gostaria de ser — e que de repente aparecia e se transformava em mim.

Senti que a minha alma se inundava com a luz de um Deus — ou uma Deusa — em quem não acreditava mais. E senti que, naquele momento, a Outra deixava meu corpo e se sentava num canto do pequeno quarto.

Eu olhava a mulher que tinha sido até então: fraca, procurando dar a impressão de forte. Com medo de tudo, mas dizendo para si mesma que não era medo — era a sabedoria de quem conhece a realidade. Construindo paredes nas janelas por onde penetrava a alegria do sol — para que seus móveis velhos não ficassem desbotados.

Vi a Outra sentada no canto do quarto — frágil, cansada, desiludida. Controlando e escravizando aquilo que devia estar sempre em liberdade: seus sentimentos. Tentando julgar o amor futuro pelo sofrimento passado.

O amor é sempre novo. Não importa que amemos uma, duas, dez vezes na vida — sempre estamos diante de uma situação que não conhecemos. O amor pode nos levar ao inferno ou ao paraíso, mas sempre nos leva a algum lugar. É preciso aceitá-lo, porque ele é o alimento de nossa existência. Se nos recusarmos, morreremos de fome vendo os galhos da árvore da vida carregados, sem coragem de estender a mão e colher os frutos. É preciso buscar o amor onde estiver, mesmo que isso signifique horas, dias, semanas de decepção e tristeza.

Porque, no momento em que partirmos em busca do amor, ele também parte ao nosso encontro.

E nos salva.

Quando a Outra se afastou de mim, meu coração voltou a conversar comigo. Contou-me que o furo na parede do dique deixava passar uma correnteza, os ventos sopravam em todas as direções e ele estava feliz porque eu o escutava de novo.

Meu coração me dizia que eu estava apaixonada. E eu dormi contente, com um sorriso nos lábios.

Quando acordei, a janela estava aberta e ele olhava as montanhas lá fora. Fiquei alguns minutos sem dizer nada, pronta para fechar os olhos caso ele virasse a cabeça.

Como se percebesse o que estava pensando, ele se voltou e me olhou nos olhos.

— Bom dia — disse.

— Bom dia. Feche a janela, está entrando muito frio.

A Outra aparecera sem aviso. Ainda tentava mudar a direção do vento, descobrir defeitos, dizer que não, que não era possível. Mas sabia que era tarde.

— Preciso mudar de roupa — disse eu.

— Vou te esperar lá embaixo — respondeu ele.

E então me levantei, afastei a Outra do pensamento, abri de novo a janela e deixei o sol entrar. O sol que inundava tudo — as montanhas cobertas de neve, o chão coberto de folhas secas, o rio que eu não via, mas escutava.

O sol bateu nos meus seios, iluminou meu corpo nu, e eu não sentia frio, porque um calor me consumia — o calor de uma fagulha que se transforma em chama, a chama que se transforma em fogueira, a fogueira que se transforma no incêndio impossível de controlar. Eu sabia.

E queria.

Eu sabia que a partir daquele momento iria conhecer os céus e os infernos, a alegria e a dor, o sonho e a desesperança, e que não podia mais conter os ventos que sopravam dos cantos escondidos da alma. Sabia que a partir daquela manhã o amor me guiava — embora ele já estivesse presente desde a infância, desde quando o vi pela primeira vez. Porque nunca o esqueci — embora tivesse me julgado indigna de lutar por ele. Era um amor difícil, com fronteiras que eu não queria cruzar.

Lembrei a praça em Soria, o momento em que pedi para que procurasse a medalha que havia perdido. Eu sabia — sim, eu sabia o que ele ia me dizer e não queria escutar, porque ele era como certos rapazes que um belo dia vão embora em busca de dinheiro, aventuras ou sonhos. Eu precisava de um amor possível, meu coração e meu corpo estavam ainda virgens, e um príncipe encantado viria me encontrar.

Naquela época pouco entendia de amor. Quando o vi na conferência, e aceitei o convite, julguei que a mulher madura era capaz de controlar o coração da menina que tanto lutou para encontrar seu príncipe encantado. Então ele falou das crianças sempre presentes — e eu voltei a escutar a voz da menina que fui, da princesa que tinha medo de amar e perder.

Durante quatro dias tentei ignorar a voz do meu coração, mas ela foi ficando cada vez mais forte, deixando a Outra desesperada. No canto mais escondido de minha alma, eu ainda existia, e acreditava em sonhos. Antes que a Outra dissesse alguma coisa, aceitei a carona, aceitei a viagem, resolvi correr os riscos.

E foi por causa disto — do pouco de mim que sobrava — que o amor tornou a me encontrar, depois de me haver buscado nos quatro cantos do mundo. O amor tornou a me encontrar, embora a Outra tivesse montado uma barreira de preconceitos, certezas e livros de estudo numa rua tranquila de Zaragoza.

Abri a janela e o coração. O sol inundou o quarto, e o amor inundou minha alma.

Andamos horas seguidas em jejum, caminhamos pela neve e pela estrada, tomamos o café da manhã numa cidadezinha de que nunca saberei o nome — mas que tem uma fonte com uma escultura de serpente e pomba misturadas num único animal.

Ele sorriu ao ver isso:

— É um sinal. Masculino e feminino unidos na mesma figura.

— Nunca havia pensado no que você me falou ontem — comentei. — E, no entanto, é lógico.

— "Homem e mulher Deus o criou" — disse ele, repetindo uma frase do Gênesis. — Porque esta era a sua imagem e semelhança: homem e mulher.

Vi que seus olhos tinham outro brilho. Estava feliz e ria de qualquer bobagem. Puxava conversa com as poucas pessoas que encontrava no caminho — lavradores de roupa cinzenta que seguiam para o trabalho, montanhistas de roupas coloridas que se preparavam para escalar algum pico.

Eu ficava quieta, porque meu francês era péssimo, mas minha alma alegrava-se ao vê-lo assim.

Sua felicidade era tanta que todos sorriam quando conversavam com ele. Talvez seu coração lhe tivesse dito algo, e agora sabia que eu o amava — embora ainda me comportasse como uma velha amiga de infância.

— Você parece mais contente — disse eu a certa altura.

— Porque sempre sonhei em estar aqui com você, andando por estas montanhas, colhendo os frutos dourados do sol.

"Os frutos dourados do sol." Um verso que alguém escrevera há muito tempo e que agora ele repetia — no momento certo.

— Existe outro motivo para a sua alegria — comentei eu enquanto voltávamos daquela cidadezinha com a fonte esquisita.

— Qual?

— Você sabe que estou contente. Você é responsável por eu estar aqui hoje, subindo montanhas de verdade, longe das montanhas de cadernos e livros. Você está me fazendo feliz. E a felicidade é algo que se multiplica quando se divide.

— Você fez o exercício do Outro?

— Sim. Como você sabe?

— Porque você também mudou. E porque sempre aprendemos esse exercício na hora certa.

A Outra me seguiu durante toda aquela manhã. Tentava aproximar-se de novo. A cada minuto, porém, sua voz ficava mais baixa e sua imagem começava a se dissolver. Eu me lembrava do final dos filmes de vampiro, quando o monstro se transforma em pó.

Passamos por outra coluna com a imagem da Virgem na cruz.

— Em que você está pensando? — perguntou.

— Em vampiros. Nos seres da noite, trancados em si mesmos, buscando desesperadamente companhia. Mas incapazes de amar.

"Por isso a lenda diz que apenas uma estaca no coração é capaz de matá-lo; quando isso acontece, o coração desperta, liberta a energia do amor e destrói o mal."

— Nunca havia pensado nisso antes. Mas é lógico.

Eu conseguira cravar essa estaca. O coração, liberto das maldições, tomava conta de tudo. A Outra já não tinha mais onde ficar.

Mil vezes senti vontade de segurar sua mão e mil vezes fiquei quieta, sem fazer nada. Estava um pouco confusa — queria dizer que o amava e não sabia como começar.

Conversamos sobre as montanhas e sobre os rios. Ficamos perdidos na floresta por quase uma hora, mas reencontramos a trilha. Comemos sanduíches e bebemos neve derretida. Quando o sol começou a descer, resolvemos voltar para Saint-Savin.

O som de nossos passos ecoava pelas paredes de pedra. Levei instintivamente a mão até a pia de água benta e fiz o sinal da cruz. Lembrei o que ele me havia dito — a água é o símbolo da Deusa.

— Vamos até ali — disse ele.

Caminhamos pela igreja vazia e escura, onde um santo — São Savin, um ermitão que viveu no começo do primeiro milênio — estava enterrado debaixo do altar principal. As paredes daquele lugar já tinham sido derrubadas e reconstruídas várias vezes.

Certos lugares são assim — podem ser arrasados por guerras, perseguições e indiferença. Mas permanecem sagrados. Então alguém passa por ali, sente que falta algo e o reconstrói.

Reparei numa imagem de Cristo crucificado que me dava uma sensação estranha — tinha a nítida impressão de que sua cabeça se movia, me acompanhando.

— Vamos parar aqui.

Estávamos diante de um altar de Nossa Senhora.

— Olhe a imagem.

Maria com o filho no colo. O menino Jesus apontando para o alto.

Comentei com ele o que vi.

— Olhe com mais atenção — insistiu.

Procurei ver todos os detalhes da escultura de madeira: a pintura dourada, o pedestal, a perfeição com que o artista traçara as dobras do manto. Mas, quando reparei no dedo do menino Jesus, entendi o que ele queria dizer.

Na verdade, embora Maria O tivesse em seus braços, era Jesus quem A segurava. O braço da criança, levantado para o céu, parecia carregar a Virgem até as alturas. De volta à morada de seu Noivo.

— O artista que fez isto, há mais de seiscentos anos, sabia o que queria dizer — comentou ele.

Passos soaram no chão de madeira. Uma mulher entrou e acendeu uma vela na frente do altar principal.

Ficamos quietos por algum tempo, respeitando o silêncio daquela oração.

"O amor nunca vem aos poucos", pensava enquanto o via absorto na contemplação da Virgem. No dia anterior, o mundo tinha sentido sem que ele estivesse presente. Agora, eu precisava que estivesse ao meu lado para poder enxergar o verdadeiro brilho das coisas.

Quando a mulher saiu, ele tornou a falar.

— O artista conhecia a Grande Mãe, a Deusa, a face misericordiosa de Deus. Existe uma pergunta que você me fez e que até o momento não consegui responder direito. Você me perguntou: "Onde aprendeu tudo isso?".

Sim, eu havia perguntado e ele já havia respondido. Mas fiquei calada.

— Pois aprendi como esse artista — continuou. — Aceitei o amor das alturas. Me deixei guiar.

"Você deve se lembrar daquela carta em que eu falava que queria entrar para um mosteiro. Eu nunca lhe contei, mas o fato é que terminei entrando."

Lembrei imediatamente a conversa antes da conferência. Meu coração começou a bater mais rápido e eu procurei fixar meus olhos na Virgem. Ela sorria.

"Não pode ser", pensei. "Entrou, mas saiu. Por favor, me diga que saiu do seminário."

— Já tinha vivido intensamente minha juventude — continuou ele, sem ligar para meus pensamentos. — Conhecia outros povos e outras paisagens. Já havia buscado Deus pelos quatro cantos da Terra. Já havia me apaixonado por outras mulheres e trabalhado para muitos homens, em diversos ofícios.

Outra pontada. "Preciso tomar cuidado para que a Outra não volte", disse para mim mesma, mantendo os olhos fixos no sorriso da Virgem.

— O mistério da vida me fascinava e eu queria compreendê-lo melhor. Busquei as respostas onde me diziam que alguém sabia alguma coisa. Estive na Índia e no Egito. Conheci mestres de magia e de meditação. Convivi com alquimistas e sacerdotes.

"E descobri o que precisava descobrir: que a Verdade sempre está onde existe Fé."

A verdade sempre está onde existe fé. Olhei de novo a igreja à minha volta — as pedras gastas, tantas vezes derrubadas e recolocadas no lugar. O que fazia o homem insistir tanto, trabalhar tanto para reconstruir aquele pequeno templo — num lugar remoto, encravado em montanhas tão altas?

A fé.

— Os budistas estavam com a razão, os hindus estavam com a razão, os índios estavam com a razão, os muçulmanos estavam com a razão, os judeus estavam com a razão. Sempre que o homem seguisse, com sinceridade, o caminho da fé, ele seria capaz de unir-se a Deus e operar milagres.

"Mas não adiantava apenas saber isso: era preciso fazer uma escolha. Escolhi a Igreja católica porque fui criado nela e minha infância estava impregnada de seus mistérios. Se tivesse nascido judeu, teria escolhido o judaísmo. Deus é o mesmo, embora tenha mil nomes; mas você precisa escolher um nome para chamá-lo."

Outra vez os passos na igreja.

* * *

Um homem aproximou-se e ficou nos olhando. Depois foi até o altar central e retirou os dois candelabros. Devia ser alguém encarregado de guardar a igreja.

Lembrei-me do vigia da outra capela, que não queria nos deixar entrar. Mas, desta vez, o homem não nos disse nada.

— Hoje à noite tenho um encontro — disse ele, assim que o homem saiu.

— Por favor, continue o que estava contando. Não mude de assunto.

— Entrei para um seminário aqui perto. Durante quatro anos estudei tudo o que podia. Nesse período, fiz contato com os Esclarecidos, os Carismáticos, as diversas correntes que procuravam abrir portas fechadas há muito tempo. Descobri que Deus já não era o carrasco que me assustava na infância. Havia um movimento de retorno à inocência original do cristianismo.

— Ou seja, depois de dois mil anos, entenderam que era preciso deixar Jesus fazer parte da Igreja — disse eu, com certa ironia.

— Você pode estar brincando, mas é exatamente isso. Comecei a aprender com um dos superiores do mosteiro. Ele me ensinava que era preciso aceitar o fogo da revelação, o Espírito Santo.

Meu coração apertava à medida que ouvia suas palavras. A Virgem continuava sorrindo, e o menino Jesus tinha uma expressão alegre. Também eu já acreditara nisso um dia — mas o tempo, a idade e a sensação de que era uma pessoa mais lógica e mais prática terminaram por me afastar da religião. Pensei em como gostaria de recuperar aquela fé infantil, que me acompanhara por tantos anos e me fizera crer em anjos e milagres. Mas era impossível trazê-la de volta apenas com um ato de vontade.

— O superior me dizia que, se eu acreditasse que sabia, eu terminaria sabendo — continuou. — Comecei a conversar sozinho quando estava na minha cela. Rezei para que o Espírito Santo se manifestasse e me ensinasse tudo o que precisava saber. Aos poucos fui descobrindo que, à medida que falava sozinho, uma voz mais sábia dizia as coisas por mim.

— Também acontece comigo — disse eu, interrompendo-o.

Ele esperou que eu continuasse. Mas eu não conseguia dizer mais nada.

— Estou escutando — disse ele.

Algo havia travado minha língua. Ele falava coisas belas, eu não podia me expressar com palavras iguais.

— A Outra está querendo voltar — disse ele, como se adivinhasse meu pensamento. — A Outra tem medo de dizer bobagem.

— Sim — respondi, fazendo o possível para vencer o meu medo. — Muitas vezes, quando converso com alguém e me entusiasmo com certo assunto, termino dizendo coisas que nunca pensei antes. Parece que canalizo uma inteligência que não é minha, e que entende da vida muito mais do que eu.

"Mas isso é raro. Geralmente, em qualquer conversa, prefiro ficar escutando. Creio que estou aprendendo algo novo, embora sempre termine esquecendo tudo."

— Nós somos nossa grande surpresa — disse ele.
— A fé do tamanho de um grão de mostarda nos faria mover essas montanhas aí. Foi isto que aprendi. E hoje me surpreendo quando escuto com respeito minhas próprias palavras.

"Os apóstolos eram pescadores, analfabetos, ignorantes. Mas aceitaram a chama que descia do céu. Não tiveram vergonha da própria ignorância: tiveram fé no Espírito Santo. Esse dom é de quem quiser aceitá-lo. Basta apenas acreditar, aceitar, e não ter medo de cometer alguns erros."

⟲✕⟳

A Virgem sorria na minha frente. Ela teve todos os motivos para chorar — e, no entanto, sorria.
— Continue o que você estava contando — disse eu.
— É isso — respondeu ele. — Aceitar o dom. Então o dom se manifesta.
— A coisa não funciona assim.
— Você não me entende?
— Entendo. Mas sou como todas as outras pessoas: tenho medo. Acho que isso funciona para você, ou para o vizinho ao lado, mas nunca para mim.
— Um dia isso mudará. Quando você entender que somos como esta criança que está aí na nossa frente, nos olhando.
— Mas, até lá, todos nós vamos achar que chegamos perto da luz e não conseguimos acender nossa própria chama.

Ele não me respondeu nada.

— Você não terminou a história do seminário — disse eu, depois de algum tempo.

— Eu continuo no seminário.

E, antes que eu pudesse reagir, levantou-se e caminhou para o centro da igreja.

Eu não me mexi. Minha cabeça dava voltas, sem entender direito o que estava acontecendo. No seminário!

Era melhor não pensar. A represa se havia rompido, o amor inundava minha alma e eu não podia mais controlá-lo. Ainda havia uma saída, a Outra — a que era dura porque era fraca, que era fria porque tinha medo —, mas eu já não a queria mais. Não podia mais ver a vida através de seus olhos.

Um som interrompeu meu pensamento — um som agudo, longo, como se fosse uma flauta gigantesca. O meu coração deu um salto.

Veio outro som. E mais outro. Olhei para trás: havia uma escada de madeira, que dava em uma plataforma desajeitada, que não combinava com a harmonia e a beleza gelada da pedra. Em cima da plataforma, podia-se ver um antigo órgão.

E ele estava lá. Não enxergava seu rosto, porque o lugar era escuro — mas sabia que ele estava lá.

Levantei-me e ele me interrompeu.

— Pilar! — disse, com a voz cheia de emoção. — Fique onde você está.

Eu obedeci.

— Que a Grande Mãe me inspire — continuou. — Que a música seja a minha oração deste dia.

E começou a tocar a "Ave Maria". Deviam ser seis horas da tarde, a hora do *Angelus*, a hora em que luz e trevas se misturam. O som do órgão ecoava pela igreja vazia, misturava-se com as pedras e as imagens cheias de histórias e de fé. Fechei os olhos e deixei que a música também se misturasse comigo, lavasse minha alma dos medos e das culpas, me fizesse recordar sempre que eu era melhor do que pensava, mais forte do que julgava ser.

Senti uma imensa vontade de rezar, e era a primeira vez que isso acontecia — desde que havia me afastado do caminho da fé. Embora sentada no banco, minha alma estava ajoelhada aos pés daquela Senhora à minha frente, a mulher que disse

sim

quando podia ter dito não, e o anjo buscaria outra, e nenhum pecado haveria aos olhos do Senhor, porque Deus conhece a fundo a fraqueza de seus filhos. Mas ela disse

seja feita a Vossa vontade

mesmo quando sentiu que recebia, junto com as palavras do anjo, toda a dor e o sofrimento do seu destino; e os olhos do seu coração puderam enxergar o filho amado saindo de casa, as pessoas que o seguiam e depois o negavam, *seja feita a Vossa vontade*

mesmo quando, no momento mais sagrado da vida de uma mulher, teve que se misturar aos animais de um estábulo para dar à luz, porque assim queriam as Escrituras,

seja feita a Vossa vontade

mesmo quando, aflita, procurava seu menino pelas ruas e o encontrou no templo. E ele pediu que não o atrapalhasse, porque precisava cumprir outros deveres e outras tarefas,

seja feita a Vossa vontade

mesmo sabendo que continuaria a buscá-lo pelo resto de seus dias, com o coração transpassado pelo punhal da dor, temendo a cada minuto por sua vida, sabendo que ele estava sendo perseguido e ameaçado,

seja feita a Vossa vontade

mesmo que, ao encontrá-lo no meio da multidão, não tenha conseguido chegar perto,

seja feita a Vossa vontade

mesmo que, quando pediu a alguém para avisá-lo de que ela estava ali, o filho tenha mandado dizer que "minha mãe e meus irmãos são estes que estão comigo", mesmo que todos tenham fugido no final, e só ela, outra mulher, e um deles tenha ficado aos pés da cruz, aguentando o riso dos inimigos e a covardia dos amigos,

seja feita a Vossa vontade.

Seja feita a Vossa vontade, Senhor. Porque Tu conheces a fraqueza do coração dos Teus filhos, e só entregas a cada um o fardo que pode carregar. Que Tu entendas meu amor — porque ele é a única coisa que tenho de realmente meu, a única coisa que poderei carregar para a outra vida. Faz com que ele se conserve corajoso e puro, capaz de continuar vivo, apesar dos abismos e das armadilhas do mundo.

O órgão ficou em silêncio e o sol se escondeu atrás das montanhas — como se ambos fossem regidos pela mesma Mão. Sua prece fora ouvida, a música tinha sido sua oração. Abri os olhos e a igreja estava completamente escura — exceto pela vela solitária, que iluminava a imagem da Virgem.

Escutei de novo seus passos, voltando até onde eu estava. A luz daquela única vela iluminou minhas lágrimas e meu sorriso — que, embora não fosse tão belo como o da Virgem, mostrava que meu coração estava vivo.

Ele ficou me olhando, e eu o olhava. Minha mão procurou a sua e a encontrou. Senti que agora era o seu coração que batia mais rápido — eu quase podia escutá-lo, porque estávamos de novo em silêncio.

Minha alma, porém, estava tranquila, e meu coração, em paz.

Segurei sua mão e ele me abraçou. Ficamos ali aos pés da Virgem, durante um tempo que não sei precisar, porque o tempo havia parado.

Ela nos olhava. A camponesa adolescente que dissera "sim" ao seu destino. A mulher que aceitou levar no ventre o filho de Deus, e no coração o amor da Deusa. Ela era capaz de compreender.

Eu não queria perguntar nada. Bastavam os momentos passados na igreja, naquela tarde, para justificar toda aquela viagem. Bastavam os quatro dias com ele para justificar todo aquele ano em que nada de especial tinha acontecido.

Por isso eu não queria perguntar nada. Saímos da igreja de mãos dadas e voltamos ao quarto. Minha cabeça dava voltas — seminário, a Grande Mãe, o encontro que ele teria naquela noite.

Então me dei conta de que, tanto eu quanto ele, queríamos prender nossas almas no mesmo destino; mas existia um seminário na França, existia Zaragoza. Meu coração apertou. Olhei as casas medievais, o poço da noite anterior. Lembrei o silêncio e o ar triste da Outra mulher que eu fora um dia.

"Deus, estou tentando recuperar minha fé. Não me abandone no meio de uma história como esta", pedi, afastando o medo.

Ele dormiu um pouco e de novo fiquei acordada, olhando o recorte escuro da janela. Acordamos, jantamos com a família que nunca conversava na mesa e ele pediu a chave da casa.

— Hoje vamos voltar tarde — disse para a mulher.

— Jovens precisam se divertir — respondeu ela. — E aproveitar os feriados da melhor maneira possível.

— Tenho que perguntar uma coisa — disse eu, assim que entramos no carro. — Tento evitar, mas não consigo.

— O seminário — disse ele.

— É isso. Não compreendo.

"Embora não tenha mais importância compreender nada", pensei.

— Eu sempre te amei — começou ele. — Tive outras mulheres, mas sempre te amei. Carregava a medalha comigo, pensando que um dia tornaria a entregá-la, com a coragem de dizer "te amo".

"Todos os caminhos do mundo me levavam de volta a você. Escrevia as cartas e abria com medo cada resposta, porque, em uma delas, você podia me dizer que havia encontrado alguém.

"Foi quando ouvi o chamado para a vida espiritual. Ou melhor, aceitei o chamado, porque, assim como você, já estava presente desde minha infância. Descobri que Deus era importante demais na minha vida e que eu não seria feliz se não seguisse minha vocação. A face de Cristo estava em cada um dos pobres que encontrei pelo mundo, e eu não podia deixar de vê-la."

Ele se calou e eu resolvi não insistir.

Vinte minutos depois, ele parou o carro e descemos.

— Estamos em Lourdes — disse. — Você precisa ver isto aqui no verão.

O que via eram ruas desertas, lojas fechadas, hotéis com grades de aço sobre a porta principal.

— Seis milhões de pessoas vêm aqui no verão — continuou, entusiasmado.

— Para mim, parece uma cidade-fantasma.

Atravessamos uma ponte. Diante de nós, um imenso portão de ferro — ladeado por anjos — tinha um dos seus lados abertos. E nós entramos.

— Continue o que você estava dizendo — pedi, mesmo tendo decidido pouco antes que não ia insistir. — Fale da face de Cristo nas pessoas.

Percebi que ele não queria prosseguir a conversa. Talvez não fosse o lugar nem o momento. Mas, agora que havia iniciado, precisava terminar.

Começamos a andar por uma extensa avenida, ladeada por campos cobertos de neve. Ao fundo eu notava a silhueta de uma catedral.

— Continue — repeti.

— Você já sabe. Entrei para o seminário. Durante o primeiro ano, pedi que Deus me ajudasse a transformar meu amor por você num amor por todos os homens. No segundo ano, senti que Deus estava me escutando. No terceiro ano, embora a saudade ainda fosse muito grande, eu já tinha a certeza de que este amor estava se transformando em caridade, oração e ajuda aos necessitados.

— Então por que tornou a me procurar? Por que acendeu de novo em mim este fogo? Por que me contou o exercício da Outra e me fez ver como eu era mesquinha com a vida?

Minhas palavras saíam confusas, trêmulas. A cada minuto, eu o via mais perto do seminário e mais longe de mim.

— Por que você voltou? Por que só me conta esta história hoje, quando vê que estou começando a amá-lo?

Ele demorou um pouco antes de responder.

— Você vai achar tolice — disse.

— Não vou achar tolice. Não tenho mais medo de parecer ridícula. Você me ensinou isto.

— Há dois meses meu superior pediu que o acompanhasse até a casa de uma mulher que havia morrido e deixado todos os seus bens para nosso seminário. Ela morava em Saint-Savin, e meu superior devia fazer um inventário de suas coisas.

A catedral, ao fundo, aproximava-se a cada instante. Minha intuição dizia que, assim que chegássemos ali, qualquer conversa seria interrompida.

— Não pare — disse eu. — Mereço uma explicação.

— Lembro o momento em que entrei naquela casa. As janelas davam para as montanhas dos Pireneus, e a claridade do sol, aumentada pelo brilho da neve, se espalhava por todo o ambiente. Comecei a fazer uma lista das coisas, mas em poucos minutos havia parado.

"Descobrira que o gosto daquela mulher era exatamente igual ao meu. Ela possuía discos que eu teria comprado, com as músicas que eu também gostaria de ouvir olhando a paisagem lá fora. As estantes tinham muitos livros: alguns que eu já havia lido, outros que certamente gostaria de ler. Reparei nos móveis, nos quadros, nos pequenos objetos espalhados; era como se eu os tivesse escolhido.

"A partir daquele dia, não consegui mais deixar de pensar na casa. Cada vez que entrava na capela para orar, lembrava que minha renúncia não havia sido completa. Eu me imaginava ali com você, morando numa casa igual àquela, ouvindo aqueles discos, olhando a neve na montanha e o fogo na lareira. Imaginava nossos filhos correndo pela casa e brincando nos campos em volta de Saint-Savin."

Embora eu nunca tivesse entrado naquela casa, sabia exatamente como era. E desejei que ele não dissesse mais nada, para poder sonhar.

Mas ele continuou:

— Há duas semanas não consegui aguentar a tristeza da minha alma. Procurei meu superior, contei-lhe tudo o que se passava. Contei a história de meu amor por você e do que havia sentido quando fui fazer o inventário.

Uma chuva fina começou a cair. Abaixei a cabeça e fechei mais o casaco. Tinha medo de ouvir o resto.

— Então meu superior me disse: "Há muitas maneiras de servir ao Senhor. Se você acha que este é seu destino, vá em busca dele. Só quem é feliz pode espalhar felicidade".

"— Não sei se este é o meu destino — respondi ao meu superior. — Encontrei a paz no meu coração quando resolvi entrar para este mosteiro.

"— Então, vá até lá e tire toda e qualquer dúvida — disse ele. — Permaneça no mundo ou volte para o seminário. Mas você tem que estar inteiro no lugar que escolher. Um reino dividido não resiste às investidas do adversário. Um ser humano dividido não consegue enfrentar a vida com dignidade."

Ele enfiou a mão no bolso e me deu algo. Era uma chave.

— O superior me emprestou a chave da casa. Disse que podia esperar um pouco antes de vender os objetos. Sei que queria que eu voltasse lá com você.

"Foi ele quem arranjou a palestra em Madri, para que tornássemos a nos encontrar."

Olhei para a chave em sua mão e apenas sorri. Dentro do meu peito, entretanto, era como se sinos tocassem e o céu se abrisse. Ele serviria a Deus de outra maneira — ao meu lado. Porque eu iria lutar por isto.

— Pegue esta chave — disse ele.

Estendi a mão e guardei-a no bolso.

A basílica agora já estava diante de nós. Antes que eu pudesse dizer qualquer coisa, alguém o viu e veio cumprimentá-lo. A chuva fina caía insistentemente, e eu não sabia quanto tempo íamos ficar ali; a cada instante lembrava que tinha apenas uma roupa, e não podia ficar molhada.

Tentei me concentrar nisso. Não queria pensar na casa — nas coisas que estavam suspensas entre o céu e a terra, esperando a mão do destino.

Ele me chamou e me apresentou a algumas pessoas. Perguntaram onde estávamos, e quando ele citou Saint-Savin alguém disse que ali estava enterrado um santo eremita. Disseram que foi ele quem descobriu o poço no meio da praça — e que a ideia original da cidade era criar um refúgio para os religiosos que abandonavam a vida das cidades e iam para as montanhas à procura de Deus.

— Eles ainda estão lá — disse outro.

Eu não sabia se essa história era verdade, e não sabia quem eram "eles".

Outras pessoas foram chegando e o grupo se dirigiu para a frente da gruta. Um homem mais velho tentou me dizer alguma coisa em francês. Ao ver que eu não entendia direito, mudou para um espanhol arrastado:

— Você está com uma pessoa muito especial — disse. — Um homem que faz milagres.

Eu não respondi nada, mas me lembrei da noite em Bilbao, quando um homem desesperado viera procurá-lo. Ele não me dissera aonde havia ido, e isso não me interessava. Meu pensamento estava concentrado numa casa, que sabia exatamente como era. Quais os livros, os discos, qual a paisagem e a decoração.

Em algum lugar do mundo, uma casa de verdade estava esperando por nós, algum dia. Uma casa onde eu aguardaria tranquila sua chegada. Uma casa onde podia esperar por uma menina ou um menino que voltava do colégio, enchia o ambiente com sua alegria e não deixava nada no lugar onde havíamos colocado.

O grupo caminhou em silêncio, debaixo da chuva, até que chegamos finalmente ao local das aparições. Era exatamente como eu imaginava: a gruta, a imagem de Nossa Senhora e uma fonte — protegida por um vidro — onde o milagre da água acontecera. Alguns peregrinos rezavam, outros estavam sentados dentro da gruta, em silêncio, com os olhos fechados. Corria um rio em frente à gruta, e o som de suas águas me tranquilizou. Ao ver a imagem, fiz uma rápida prece; pedi à Virgem que me ajudasse, porque meu coração não precisava sofrer mais.

"Se a dor tiver que vir, que venha rápido", disse eu. "Porque tenho uma vida pela frente, e preciso usá-la da melhor maneira possível. Se ele tem que fazer alguma escolha, que faça logo. Então eu o espero. Ou o esqueço.

"Esperar dói. Esquecer dói. Mas não saber que decisão tomar é o pior dos sofrimentos."

No íntimo do meu coração, senti que ela escutara meu pedido.

QUARTA-FEIRA,
8 DE DEZEMBRO DE 1993

Quando o relógio da basílica tocou à meia-noite, o grupo à nossa volta havia crescido bastante. Éramos quase cem pessoas, entre elas alguns sacerdotes e freiras, parados debaixo da chuva, olhando a imagem.

— Salve Nossa Senhora da Imaculada Conceição! — disse alguém perto de mim, assim que as badaladas do relógio terminaram de soar.

— Salve! — responderam todos, com uma salva de palmas.

Um guarda imediatamente se aproximou e pediu que não fizéssemos barulho. Estávamos incomodando os outros peregrinos.

— Viemos de longe — disse um senhor de nosso grupo.

— Eles também — respondeu o guarda, apontando para outras pessoas que rezavam na chuva. — E estão rezando em silêncio.

Torci para que o guarda terminasse aquele encontro. Queria estar sozinha com ele, longe dali, segurando suas mãos e dizendo o que sentia. Precisávamos conversar sobre a casa, fazer planos, falar de amor. Eu precisava tranquilizá-lo, demonstrar mais o meu afeto, dizer que poderia realizar seu sonho — porque estaria ao seu lado, ajudando-o.

O guarda logo se afastou e um dos sacerdotes começou a puxar o terço, em voz baixa. Quando chegamos ao credo que encerra a série de orações, todos ficaram quietos, de olhos fechados.

— Quem são estas pessoas? — perguntei.

— Carismáticos — disse ele.

Já havia escutado essa palavra, mas não sabia exatamente o que era. Ele percebeu.

— São as pessoas que aceitam o fogo do Espírito Santo — disse. — O fogo que Jesus deixou, onde poucos acenderam suas velas. São pessoas que estão próximas da verdade original do cristianismo, quando todos podiam operar milagres.

"São pessoas guiadas pela Mulher Vestida de Sol" — disse, apontando com os olhos para a Virgem.

O grupo começou a cantar baixinho, como se obedecesse a um comando invisível.

— Você está tiritando de frio. Não precisa participar — disse ele.

— Você fica?

— Eu fico. Isto é a minha vida.

— Então eu quero participar — respondi, embora preferindo estar longe dali. — Se este é o seu mundo, quero aprender a fazer parte dele.

O grupo continuou a cantar. Fechei os olhos e procurei seguir a música, mesmo sem falar direito o francês.

Repetia as palavras sem entender o seu significado, apenas pelo som. Mas isto me ajudava a fazer o tempo passar mais rápido.

Aquilo iria terminar logo. Então podíamos voltar para Saint-Savin, só nós dois.

Continuei cantando mecanicamente. Aos poucos, fui percebendo que a música tomava conta de mim, como se tivesse vida própria e fosse capaz de me hipnotizar. O frio foi passando, e eu já não ligava para a chuva — e para o fato de ter uma só roupa. A música me fazia bem, alegrava meu espírito, me transportava a uma época em que Deus estava mais próximo, e me ajudava.

Quando já estava quase me entregando por completo, a música cessou.

Abri os olhos. Dessa vez não era o guarda, mas um padre. Ele se dirigia a um sacerdote do grupo. Conversaram um pouco em voz baixa e o padre se afastou.

O sacerdote virou-se para nós:

— Teremos que fazer nossas orações do outro lado do rio — disse.

Em silêncio, caminhamos para o local indicado. Cruzamos a ponte que fica quase em frente à gruta e fomos para a outra margem. O local era mais bonito: árvores, um descampado e o rio — que agora estava entre nós e a gruta. Dali podíamos ver claramente a imagem iluminada e soltar melhor nossa voz, sem a desagradável sensação de estar atrapalhando a oração dos outros.

Esta impressão deve ter contagiado todo o grupo: as pessoas começaram a cantar mais forte, levantaram o rosto para o alto e sorriram com os pingos de chuva que escorriam por suas faces. Alguém levantou os braços e no minuto seguinte todos tinham os braços levantados, balançando-os de um lado para o outro ao ritmo da música.

Eu lutava para me entregar — e ao mesmo tempo queria prestar atenção ao que estavam fazendo. Um sacerdote cantava em espanhol ao meu lado, e comecei a tentar repetir suas palavras. Eram invocações ao Espírito Santo, à Virgem — para que estivessem presentes e derramassem suas bênçãos e seus poderes sobre cada um.

— Que o dom das línguas desça sobre nós — disse outro sacerdote, repetindo a frase em espanhol, italiano e francês.

Não consegui entender direito o que aconteceu em seguida. Cada uma daquelas pessoas começou a falar uma língua que não fazia parte de qualquer idioma conhecido. Era mais um barulho do que uma língua, com palavras que pareciam vir direto da alma, sem sentido lógico. Lembrei rapidamente nossa conversa na igreja, quando ele me falou da revelação — de que toda a sabedoria consistia em escutar a própria alma.

"Talvez esta seja a linguagem dos anjos", pensei, tentando imitar o que faziam — e me sentindo ridícula.

Todos olhavam para a Virgem do outro lado do rio, parecendo estar em transe. Procurei-o com os olhos e vi que estava um pouco distante de mim. Tinha as mãos levantadas para o céu e dizia também palavras rápidas, como se conversasse com Ela. Sorria, concordava e às vezes fazia expressões de surpresa.

"Este é o seu mundo", pensei.

Aquilo começou a me assustar. O homem que eu queria ao meu lado dizia que Deus também era mulher, falava línguas incompreensíveis, entrava em transe e parecia próximo dos anjos. A casa na montanha começou a parecer menos real, como se fizesse parte de um mundo que ele já havia deixado para trás.

Todos aqueles dias — desde a conferência em Madri — me pareciam parte de um sonho, uma viagem para fora do tempo e do espaço da minha vida. Entretanto, o sonho tinha o sabor de mundo, de romance, de novas aventuras. Por mais que eu resistisse, sabia que o amor incendeia facilmente o coração de uma mulher e era apenas uma questão de tempo até que eu deixasse o vento soprar e a água destruir as paredes da represa. Por menos que estivesse disposta a isto no princípio, eu já havia amado antes e julgava saber como lidar com a situação.

Mas ali estava algo que não conseguia entender. Não era esse o catolicismo que me haviam ensinado no colégio. Não era assim que eu via o homem da minha vida.

"Homem da minha vida; que estranho", disse para mim mesma, surpresa com meu pensamento.

Diante do rio e da gruta, senti medo e ciúme. Medo porque tudo aquilo era novo para mim, e o que é novo sempre me assusta. Ciúme porque, aos poucos, estava entendendo que seu amor era maior do que eu pensava, se espalhava por terrenos que eu jamais havia pisado.

"Me perdoa, Nossa Senhora", disse eu. "Me perdoa se estou sendo mesquinha, pequena, disputando a exclusividade do amor deste homem." E se sua vocação fosse realmente sair do mundo, trancar-se no seminário e conversar com os anjos?

Por quanto tempo resistiria antes de deixar a casa, os discos e os livros, e retornar ao seu verdadeiro caminho? Ou, mesmo que nunca mais voltasse ao seminário, qual seria o preço que eu precisaria pagar para mantê-lo afastado de seu verdadeiro sonho?

Todos pareciam estar concentrados no que faziam, menos eu. Tinha os olhos fixos nele, e ele falava a língua dos anjos.

O medo e o ciúme foram substituídos pela solidão. Os anjos tinham com quem conversar, e eu estava só.

Não sei o que me empurrou a tentar falar aquela língua estranha. Talvez a necessidade imensa de me encontrar com ele, dizer o que estava sentindo. Talvez porque tivesse que deixar minha alma conversar comigo — meu coração tinha muitas dúvidas, e precisava de respostas.

Não sabia exatamente o que fazer; a sensação de ridículo era muito grande. Mas ali estavam homens e mulheres de todas as idades, sacerdotes e leigos, noviços e freiras, estudantes e velhos. Aquilo me deu coragem, e eu pedi ao Espírito Santo que me fizesse vencer a barreira do medo.

"Tente", disse para mim mesma. "Basta abrir a boca e ter coragem de dizer coisas que você não entende. Tente."

Resolvi tentar. Mas antes pedi que aquela noite — de um dia tão longo que eu nem conseguia lembrar direito quando havia começado — fosse uma epifania, um novo começo para mim.

Deus parecia ter me escutado. As palavras começaram a sair mais livres — e foram aos poucos perdendo o significado da língua dos homens. A vergonha diminuiu, a confiança aumentou, a língua começou a fluir livremente. Mesmo que não entendesse nada do que estava dizendo, aquilo fazia sentido para minha alma.

O simples fato de ter coragem suficiente para dizer coisas sem sentido começou a me deixar eufórica. Eu era livre, não precisava buscar ou dar explicações de meus atos. Essa liberdade me levava até o céu — onde um Amor Maior, que tudo perdoa, e jamais se sente abandonado, me acolhia de volta.

"Parece que minha fé está voltando", pensava, surpresa com todos os milagres que o amor pode fazer. Eu sentia a Virgem ao meu lado me segurando no colo, me cobrindo e me esquentando com o seu manto. As palavras estranhas saíam cada vez mais rápido da minha boca.

Comecei a chorar sem perceber. A alegria invadia meu coração, me inundava. Era mais forte que os medos, que as minhas certezas mesquinhas, que a tentativa de controlar cada segundo de minha vida.

Sabia que aquele pranto era um dom, porque no colégio de freiras me ensinaram que os santos choravam no êxtase. Abri os olhos, contemplei o céu escuro e senti minhas lágrimas misturando-se com a chuva. A terra estava viva, a água que vinha de cima trazia de volta o milagre das alturas. Nós éramos parte desse milagre.

— Que bom, Deus pode ser mulher — disse em voz baixa enquanto os outros cantavam. — Se for assim, foi Sua face feminina que nos ensinou a amar.

* * *

— Vamos rezar em tendas de oito — disse o sacerdote, em espanhol, italiano e francês.

De novo fiquei desnorteada, sem entender direito o que estava acontecendo. Alguém se aproximou de mim e passou o braço por cima do meu ombro. Outra pessoa fez o mesmo do outro lado.

Formamos um círculo de oito pessoas abraçadas. Então, nos inclinamos para a frente e nossas cabeças se tocaram.

Parecíamos uma tenda humana. A chuva havia aumentado um pouco, mas ninguém ligava. A posição em que estávamos concentrava todas as nossas energias e o nosso calor.

— Que a Imaculada Conceição ajude meu filho e faça com que encontre seu caminho — disse a voz do homem que me havia abraçado do lado direito. — Peço que rezemos uma ave-maria para o meu filho.

— Amém — responderam todos. E as oito pessoas rezaram a ave-maria.

— Que a Imaculada Conceição me ilumine e desperte em mim o dom da cura — disse a voz de uma mulher em nossa "tenda". — Rezemos uma ave-maria.

De novo todos disseram "amém" e rezaram. Cada pessoa fez um pedido, e todos participavam com as orações. Estava surpresa comigo mesma, porque orava como uma criança — e, como uma criança, acreditava que aquelas graças seriam alcançadas.

O grupo ficou em silêncio por uma fração de segundo. Vi que era chegada a minha vez de pedir qualquer coisa. Em qualquer outra circunstância, eu teria morrido de vergonha — sem conseguir dizer nada. Mas havia uma Presença, e essa presença me dava confiança.

— Que a Imaculada Conceição me ensine a amar como ela — disse eu. — Que esse amor faça crescer a mim e ao homem a quem foi dedicado. Rezemos uma ave-maria.

Rezamos juntos, e veio de novo a sensação de liberdade. Durante anos eu lutara contra meu coração, porque tinha medo da tristeza, do sofrimento, do abandono. Sempre soubera que o verdadeiro amor estava acima de tudo isso, e que era melhor morrer do que deixar de amar.

Mas achava que apenas os outros tinham coragem. E, nesse momento, descobria que eu também era capaz. Mesmo que significasse partida, solidão, tristeza, o amor valia cada centavo do seu preço.

"Não posso ficar pensando nestas coisas, tenho que me concentrar no ritual." O sacerdote que conduzia o grupo pediu que as tendas fossem desfeitas e que agora orássemos pelos doentes. As pessoas rezavam, cantavam, dançavam na chuva, adorando a Deus e a Virgem Maria. De tempos em tempos, todos voltavam a falar línguas estranhas e a balançar os braços apontados para o céu.

— Alguém que está aqui, e que tem uma nora doente, saiba que ela está sendo curada — disse uma mulher, em determinado momento.

As orações voltavam, e voltavam os cantos e a alegria. De vez em quando, ouvia-se de novo a voz daquela mulher.

— Alguém deste grupo que perdeu a mãe recentemente deve ter fé e saber que ela está na glória dos céus.

Mais tarde ele me contou que esse era o dom da profecia, que certas pessoas eram capazes de pressentir o que estava acontecendo num lugar distante, ou o que aconteceria em pouco tempo.

Mas, mesmo que nunca soubesse disto, eu acreditava na força da voz que falava de milagres. Esperava que ela, em algum momento, comentasse sobre o amor de duas pessoas ali presentes. Tinha esperança de ouvi-la proclamar que este amor era abençoado por todos os anjos, santos, por Deus e pela Deusa.

Não sei quanto tempo durou aquele ritual. As pessoas tornaram a falar línguas estranhas, cantaram, dançaram com os braços voltados para o céu, rezaram pelo vizinho, pediram milagres, testemunharam graças que tinham sido concedidas.

Finalmente, o padre que conduzia a cerimônia disse:

— Vamos rezar cantando por todas as pessoas que participaram pela primeira vez desta renovação carismática.

Eu não devia ser a única. Aquilo me tranquilizou.

Todos cantaram uma oração. Dessa vez, eu só escutei, pedindo que as graças descessem sobre mim.

Eu precisava muito.

— Vamos receber a bênção — disse o padre.

Todos se voltaram para a gruta iluminada, na outra margem do rio. O padre fez várias orações e nos abençoou. Então todos se beijaram, se desejaram "feliz dia da Imaculada Conceição" e seguiram seus rumos.

Ele se aproximou. Tinha uma expressão mais alegre do que de costume.

— Você está ensopada — disse.

— Você também — respondi, rindo.

Pegamos o carro e voltamos para Saint-Savin. Eu ansiara por esse momento — mas, agora que ele havia chegado, não sabia mais o que dizer. Não conseguia comentar sobre a casa nas montanhas, o ritual, os livros e discos, as línguas estranhas e as orações em tendas.

Ele vivia em dois mundos. Em algum lugar no tempo, esses dois mundos se fundiam num só — e eu precisava descobrir como.

Mas as palavras, naquele momento, de nada valiam. O amor se descobre através da prática de amar.

— Só tenho mais um suéter — disse ele quando chegamos ao quarto. — Pode ficar com ele. Amanhã compro outro para mim.

— Colocamos as roupas em cima do aparelho de calefação. Amanhã estarão secas — respondi. — De qualquer maneira, ainda tenho a blusa que lavei ontem.

Por um instante, ninguém disse nada.

Roupas. Nudez. Frio.

Ele, finalmente, tirou de dentro da pequena mala uma outra camiseta.

— Isto dá para você dormir — disse.

— Claro — respondi.

Apaguei a luz. No escuro, tirei a roupa molhada, estendi-a em cima da estufa e girei o botão até o máximo.

A claridade do lampião lá fora era suficiente para que ele pudesse ver meu vulto, saber que eu estava nua. Coloquei a camiseta e me enfiei debaixo das cobertas da minha cama.

— Eu te amo — escutei-o dizer.

— Estou aprendendo a te amar — respondi.

Ele acendeu um cigarro.

— Você acha que vai chegar o momento certo? — perguntou.

Eu sabia do que ele estava falando. Levantei e fui sentar-me na beira de sua cama.

A brasa do cigarro iluminava seu rosto de vez em quando. Ele segurou minha mão e estivemos assim por um instante. Então acariciei seus cabelos.

— Você não devia perguntar — respondi. — O amor não faz muitas perguntas, porque, se começamos a pensar, começamos a ter medo. É um medo inexplicável, nem adianta tentar traduzi-lo em palavras.

"Pode ser o medo de ser desprezada, de não ser aceita, de quebrar o encanto. Parece ridículo, mas é assim. Por isso não se pergunta; se faz. Como você mesmo já disse tantas vezes, corre-se os riscos."

— Eu sei. Nunca perguntei antes.

— Você já tem meu coração — respondi, fingindo não haver escutado suas palavras. — Amanhã pode partir, e lembraremos sempre o milagre destes dias; o amor romântico, a possibilidade, o sonho.

"Mas eu acho que Deus, em sua infinita Sabedoria, escondeu o Inferno no meio do Paraíso. Para que estivéssemos sempre atentos. Para não nos deixar esquecer da coluna do Rigor enquanto vivemos a alegria da Misericórdia.

As mãos dele tocaram com mais força os meus cabelos.

— Você aprende rápido — disse ele.

Eu estava surpresa com o que havia dito. Mas, se você aceita que sabe, termina realmente sabendo.

— Não vá pensar que sou difícil — disse. — Já tive muitos homens. Já fiz amor com gente que nem conhecia direito.

— Eu também — respondeu ele.

Tentava ser natural, mas, pela maneira como tocava minha cabeça, vi que minhas palavras tinham sido difíceis de ouvir.

— Desde hoje de manhã, entretanto, a minha virgindade misteriosamente se refez. Não tente entender, porque só quem é mulher sabe o que estou dizendo. Estou descobrindo de novo o amor. E isso leva tempo.

Ele soltou meus cabelos e tocou meu rosto. Eu o beijei levemente nos lábios e voltei para minha cama.

Eu não conseguia entender direito por que agira dessa maneira. Não sabia se fazia aquilo para prendê-lo ainda mais ou para deixá-lo livre.

Mas o dia tinha sido longo. Estava cansada demais para pensar.

Tive uma noite de imensa paz. Em certo momento, parecia que estava acordada — embora continuasse dormindo. Uma presença feminina me pegou no colo, e era como se eu a conhecesse há muito tempo, porque me sentia protegida e amada.

Acordei às sete da manhã, morrendo de calor. Lembrei que havia colocado a calefação no máximo, para secar as roupas. Ainda estava escuro, e procurei me levantar sem fazer barulho, para não incomodá-lo.

Assim que levantei, vi que ele não estava.

Entrei em pânico. A Outra imediatamente despertou, e me dizia: "Está vendo? Foi só você concordar e ele sumiu. Como todos os homens".

O pânico aumentava a cada minuto. Eu não podia perder o controle. Mas a Outra não parava de falar:

"Ainda estou aqui", dizia ela. "Você deixou o vento mudar de direção, abriu a porta e o amor está inundando sua vida. Se agirmos rápido, vamos conseguir controlar."

Eu precisava ser prática. Tomar providências.

"Ele foi embora", continuou a Outra. "Você tem que

sair deste fim de mundo. Sua vida em Zaragoza ainda está intacta: volte correndo. Antes de perder o que conseguiu com tanto esforço."

"Ele deve ter seus motivos", pensei.

"Os homens sempre têm motivos", respondeu a Outra. "Mas o fato é que terminam deixando as mulheres."

Então tenho que saber como volto para a Espanha. O cérebro precisa estar ocupado o tempo todo.

"Vamos para o lado prático: dinheiro", dizia a Outra.

Eu não tinha um tostão. Precisava descer, fazer uma ligação a cobrar para meus pais e aguardar que me enviassem dinheiro para a passagem de volta.

Mas hoje é feriado, e o dinheiro só chegará amanhã. O que faço para comer? Como explicar para os donos da casa que é preciso esperar dois dias para receber o pagamento?

"Melhor não dizer nada", respondeu a Outra. Sim, ela tinha experiência, sabia lidar com situações como essa. Não era a menina apaixonada que perde o controle, mas a mulher que sempre soube o que desejava na vida. Eu devia continuar ali, como se nada tivesse acontecido, como se ele fosse voltar. E, quando o dinheiro chegasse, pagaria as dívidas e iria embora.

"Muito bem", disse a Outra. "Você está voltando a ser o que era. Não fique triste, porque um dia irá encontrar um homem. Alguém que você possa amar sem riscos."

Fui pegar minhas roupas na estufa. Estavam secas. Era preciso saber qual daquelas cidadezinhas tinha um banco, telefonar, tomar as providências. Enquanto pensasse nisso, não teria tempo para chorar ou sentir saudades.

Foi então que reparei em um bilhete:

Fui ao seminário. Arrume suas coisas (ha! ha! ha!),
pois viajamos hoje à noite para a Espanha.
Estarei de volta no final da tarde.

E completava dizendo: *"Te amo"*.

Apertei o bilhete de encontro ao peito, me senti miserável e aliviada ao mesmo tempo. Notei que a Outra se encolhia, surpresa com o achado.

Eu também o amava. A cada minuto, a cada segundo, este amor crescia e me transformava. Eu voltara a ter fé no futuro, e estava — aos poucos — voltando a ter fé em Deus.

Tudo por causa do amor.

"Não quero mais conversar com minhas próprias trevas", prometi a mim mesma, fechando definitivamente a porta para a Outra. "Um tombo do terceiro andar machuca tanto quanto um tombo do centésimo andar."

Se eu tiver que cair, que caia de lugares bem altos.

— Não saia de novo em jejum — disse a mulher.

— Não sabia que a senhora falava espanhol — respondi, surpresa.

— A fronteira é perto. Os turistas vêm para Lourdes no verão. Se eu não souber espanhol, não alugo quartos.

Ela aprontava torradas e café com leite. Comecei a preparar meu espírito para enfrentar aquele dia; cada hora ia demorar um ano. Torci para que aquela refeição me distraísse um pouco.

— Há quanto tempo vocês estão casados? — perguntou ela.

— Ele foi o primeiro amor da minha vida — respondi. Era o suficiente.

— Você vê esses picos aí fora? — continuou a mulher. — O primeiro amor da minha vida morreu numa dessas montanhas.

— Mas a senhora encontrou alguém.

— Sim, encontrei. E consegui ser feliz de novo. O destino é curioso: quase ninguém que conheço se casou com o primeiro amor da sua vida.

"As que se casaram estão sempre me dizendo que perderam algo importante, que não viveram tudo o que precisavam viver."

Ela parou de falar de repente.

— Desculpe — disse. — Não queria ofendê-la.

— Não me ofende.

— Sempre olho esse poço aí fora. E fico pensando: antes ninguém sabia onde estava a água, até que São Savin resolveu cavar e descobriu. Se não tivesse feito isso, a cidade seria lá embaixo, perto do rio.

— E o que tem isso a ver com amor? — perguntei.

— Esse poço trouxe as pessoas, com suas esperanças, seus sonhos e seus conflitos. Alguém ousou buscar a água, a água se revelou e todos se reuniram à sua volta. Penso que, quando buscamos o amor com coragem, ele se revela, e terminamos atraindo mais amor. Se uma pessoa nos quer, todos nos querem.

"Entretanto, se estamos sozinhos, ficamos mais sozinhos ainda. É estranha a vida."

— A senhora já ouviu falar num livro chamado *I ching*? — perguntei.

— Nunca.

— Ele diz que se pode mudar uma cidade, mas não se pode mudar um poço de lugar. Os amantes se encontram, matam sua sede, constroem suas casas, criam seus filhos em volta do poço.

"Mas, se um deles decide partir, o poço não pode segui-lo. O amor fica ali, abandonado, embora cheio da mesma água pura de antes."

— Você fala como uma velha que já sofreu muito, minha filha — disse ela.

— Não. Sempre tive medo. Nunca cavei o poço. Estou fazendo isso agora, e não quero me esquecer dos riscos.

Senti que algo me incomodava no bolso da calça. Quando senti o que era, meu coração ficou gelado. Acabei de tomar o café correndo.

A chave. Eu tinha a chave.

— Existe uma mulher aqui, nesta cidade, que morreu e deixou tudo para o seminário de Tarbes — disse eu. — A senhora sabe onde fica a casa dela?

A mulher abriu a porta e me mostrou. Era uma das casas medievais da pracinha, cuja parte dos fundos dava para o vale e para as montanhas.

— Dois padres estiveram aí há quase dois meses — disse ela. — E...

Ela me olhou, com ar de dúvida.

— E um deles se parecia com o seu marido — disse, depois de um longo tempo.

— Era ele — respondi enquanto saía, contente por ter deixado a minha criança interior fazer uma travessura.

Fiquei parada na frente da casa, sem saber o que fazer. A bruma cobria tudo, e eu parecia estar num sonho cinzento, onde surgem figuras estranhas que nos levam para lugares mais estranhos ainda.

Meus dedos tocavam nervosamente a chave.

Com toda aquela neblina, seria impossível ver as montanhas da janela. A casa estaria escura — sem o sol nas cortinas. A casa estaria triste sem a presença dele ao meu lado.

Olhei o relógio. Nove da manhã.

Eu precisava fazer alguma coisa, algo que me ajudasse a passar o tempo, a esperar.

Esperar. Esta foi a primeira lição que aprendi sobre o amor. O dia se arrasta, você faz milhares de planos, imagina todas as conversas possíveis, promete mudar seu comportamento em certas coisas — e vai ficando ansiosa, ansiosa, até que seu amado chega.

Então você já não sabe o que dizer. Aquelas horas de espera se transformaram em tensão, a tensão virou medo, e o medo faz com que tenhamos vergonha de mostrar nosso afeto.

"Não sei se devo entrar." Lembrei a conversa do dia anterior — aquela casa era o símbolo de um sonho.

Mas eu não podia ficar o dia inteiro ali parada. Tomei coragem, tirei a chave do bolso e caminhei para a porta.

— Pilar!

A voz, com um forte sotaque francês, vinha da neblina. Fiquei mais surpresa que assustada. Podia ser o dono da casa onde tínhamos alugado o quarto — mas eu não me lembrava de ter dito meu nome.

— Pilar! — repetiu, dessa vez mais próxima.

Olhei para a praça, coberta pela névoa. Um vulto se aproximava, andando rápido. O pesadelo das neblinas com suas figuras estranhas estava se transformando em realidade.

— Espere — disse ele. — Quero conversar com você.

Quando chegou perto, vi que era um padre. Sua figura parecia as caricaturas de padres do interior: baixo, um pouco gordo, alguns fios de cabelo branco espalhados pela cabeça quase calva.

— Olá — disse, estendendo a mão e abrindo um largo sorriso.

Eu respondi ao cumprimento, atônita.

— Pena que a neblina esteja cobrindo tudo — disse ele, olhando para a casa. — Saint-Savin está numa montanha, e a vista desta casa é linda. De suas janelas, se enxergam o vale lá embaixo e os picos gelados lá em cima. Você já deve saber.

Na mesma hora, deduzi quem era: o superior do convento.

— O que o senhor está fazendo aqui? — perguntei. — E como sabe meu nome?

— Você quer entrar? — disse ele, mudando de assunto.

— Não. Quero que responda ao que perguntei.

Ele esfregou as mãos, para aquecê-las um pouco, e sentou no meio-fio. Sentei ao seu lado. A neblina estava cada vez mais forte e havia escondido a igreja — que ficava a apenas uns vinte metros de nós.

Tudo o que conseguíamos ver era o poço. Lembrei as palavras da mulher.

— Ela está presente — eu disse.

— Quem?

— A Deusa — respondi. — Ela é esta bruma.

— Ele então conversou com você sobre isso! — riu. — Bem, prefiro chamá-la de Virgem Maria. Estou mais acostumado.

— O que o senhor está fazendo aqui? Como sabe meu nome? — repeti.

— Vim porque queria vê-los. Alguém que estava no grupo carismático ontem à noite me contou que vocês se hospedaram em Saint-Savin. E esta é uma cidade muito pequena.

— Ele foi até o seminário.

O padre parou de sorrir e balançou a cabeça de um lado para o outro.

— Que pena — disse, como se falasse para si.

— Pena porque ele foi visitar o seminário?

— Não, ele não está lá. Eu vim de lá agora.

Ficou sem dizer nada por alguns minutos. Lembrei de novo a sensação que tive ao acordar: o dinheiro, as providências, o telefonema para meus pais, a passagem. Mas fizera um juramento e ia manter minha palavra.

Um padre estava ao meu lado. Em criança, fora acostumada a contar tudo para os padres.

— Estou exausta — disse, rompendo o silêncio. — Há menos de uma semana, eu sabia quem era e o que queria da vida. Agora, parece que entrei numa tempestade que me joga de um lado para outro, sem que eu possa fazer nada.

— Resista — disse o padre. — É importante.

Fiquei surpresa com o comentário.

— Não se assuste — continuou ele, como se adivinhasse meu pensamento. — Sei que a Igreja está precisando de novos sacerdotes, e ele seria um padre excelente. Mas o preço que terá que pagar é muito alto.

— Onde está ele? Me deixou aqui e foi embora para a Espanha?

— Para a Espanha? Ele não tem nada que fazer na Espanha — disse o padre. — Sua casa é o mosteiro, que fica a poucos quilômetros daqui.

"Ele não está lá. E eu sei onde posso encontrá-lo."

Suas palavras me devolveram um pouco de coragem e alegria; pelo menos ele não havia partido.

Mas o padre não estava mais sorrindo.

— Não se anime — continuou ele, de novo lendo meus pensamentos. — Melhor teria sido que tivesse voltado para a Espanha.

O padre levantou-se e pediu que o acompanhasse. Só podíamos ver alguns metros à nossa frente, mas ele parecia saber aonde ia. Saímos de Saint-Savin pelo mesmo caminho em que, duas noites atrás — ou teriam sido cinco anos atrás? —, escutei a história de Bernadette.

— Aonde vamos? — perguntei.

— Vamos buscá-lo — respondeu o padre.

— Padre, o senhor me deixa confusa — disse eu, enquanto andávamos. — Parece que ficou triste quando falei que ele não estava.

— O que você sabe da vida religiosa, minha filha?

— Muito pouco. Que os padres fazem voto de pobreza, castidade e obediência.

Pensei se devia continuar ou não, mas resolvi ir adiante.

— E que julgam os pecados dos outros, embora cometam esses mesmos pecados. Que pensam conhecer tudo sobre casamento e amor, mas nunca se casaram. Que nos ameaçam com o fogo do inferno por coisas erradas que eles também praticam.

"E nos mostram Deus como um ser vingador, que culpa o homem pela morte de seu único Filho."

O padre riu.

— Você teve uma excelente educação católica — disse. — Mas não estou perguntando sobre catolicismo. Pergunto sobre vida espiritual.

Fiquei sem reação.

— Não sei ao certo — disse, afinal. — São pessoas que largam tudo e partem em busca de Deus.

— E encontram?

— O senhor sabe a resposta. Eu não tenho ideia.

O padre percebeu que eu estava ofegante e diminuiu o ritmo de seus passos.

— Você definiu errado — começou ele. — Quem parte em busca de Deus está perdendo seu tempo. Pode percorrer muitos caminhos, filiar-se a muitas religiões e seitas, mas, dessa maneira, jamais irá encontrá-Lo.

"Deus está aqui, agora, ao nosso lado. Podemos vê-Lo nesta bruma, neste chão, nestas roupas, nestes sapatos. Seus anjos velam enquanto dormimos e nos ajudam enquanto trabalhamos. Para encontrar Deus, basta olhar à nossa volta.

"Não é fácil esse encontro. À medida que Deus nos faz participar de seu mistério, nos sentimos mais desorientados. Porque Ele constantemente nos pede que sigamos nossos sonhos e nosso coração. É difícil fazer isso, porque estamos acostumados a viver de maneira diferente.

"E descobrimos, para nossa surpresa, que Deus nos quer ver felizes, porque Ele é pai."

— E mãe — disse eu.

A neblina começava a levantar. Eu podia ver uma pequena casa de camponeses, onde uma mulher juntava lenha.

— Sim, e mãe — disse ele. — Para você ter uma vida espiritual, não precisa entrar para um seminário, nem fazer jejum, abstinência e castidade.

"Basta ter fé e aceitar Deus. A partir daí, cada um se transforma no Seu caminho, passamos a ser o veículo de Seus milagres."

— Ele já me falou do senhor — interrompi. — E me ensinou essas mesmas coisas.

— Espero que você aceite seus dons — respondeu o padre. — Porque nem sempre é assim, como nos ensina a história. Osíris é esquartejado no Egito. Os deuses gregos se desentendem por causa de mulheres e homens da Terra. Os astecas expulsam Quetzalcóatl. Os deuses vikings assistem ao incêndio do Valhalla por causa de uma mulher. Jesus é crucificado.

"Por quê?"

Eu não sabia responder.

— Porque Deus vem à Terra para nos mostrar nosso poder. Fazemos parte do Seu sonho, e Ele quer um sonho feliz. Entretanto, se admitirmos para nós mesmos que Deus nos criou para a felicidade, teremos que assumir que tudo aquilo que nos leva para a tristeza e para a derrota é nossa culpa.

"Por isso, sempre matamos Deus. Seja na cruz, no fogo, no exílio, seja em nosso coração."

— Mas aqueles que O entendem...

— Estes transformam o mundo. À custa de muito sacrifício.

A mulher que carregava lenha viu o padre e veio correndo em nossa direção.

— Padre, obrigada! — disse ela, beijando suas mãos. — O moço curou meu marido!

— Quem curou foi a Virgem — respondeu o padre apertando o passo. — Ele é apenas um instrumento.

— Foi ele. Entre, por favor.

Na mesma hora eu me lembrei da noite anterior. Quando estávamos chegando à basílica, um homem me dissera algo como "Você está com um homem que faz milagres!".

— Estamos com pressa — disse o padre.

— Não, não estamos — respondi, morrendo de vergonha de falar francês, uma língua que não era a minha.

— Tenho frio e quero tomar um café.

A mulher me pegou pela mão e entramos. A casa era confortável, mas sem luxo; paredes de pedra, o chão e o teto de madeira. Sentado diante da lareira acesa estava um homem de aproximadamente sessenta anos.

Assim que viu o padre, levantou-se para beijar sua mão.

— Fique sentado — disse o padre. — Você ainda tem que se recuperar.

— Já engordei dez quilos — respondeu ele. — Mas ainda não posso ajudar minha mulher.

— Não se preocupe. Em breve você estará melhor que antes.

— Onde está o rapaz? — perguntou o homem.

— Eu o vi passando para onde sempre vai — disse a mulher. — Só que hoje ele estava de carro.

O padre me olhou sem dizer nada.

— Nos dê sua bênção, padre — disse a mulher. — O poder que é dele...

— ... da Virgem — cortou o padre.

— ... da Virgem Mãe, esse poder também é do senhor. Foi o senhor que o trouxe aqui.

Dessa vez o padre evitou meu olhar.

— Reze por meu marido, padre — insistiu a mulher.

O padre respirou fundo.

— Fique em pé na minha frente — disse para o homem.

O velho obedeceu. O padre fechou os olhos e rezou uma ave-maria. Depois, invocou o Espírito Santo, pedindo que estivesse presente e ajudasse aquele homem.

De um momento para o outro, começou a falar rápido. Parecia uma oração de exorcismo, embora eu já não pudesse acompanhar direito o que dizia. Suas mãos tocavam os ombros do homem e deslizavam por seus braços — até seus dedos. Ele repetiu este gesto várias vezes.

O fogo começou a crepitar mais forte na lareira. Podia ser coincidência, mas talvez o padre estivesse entrando em terrenos que eu não conhecia — e que interferiam nos elementos.

Eu e a mulher nos assustávamos cada vez que uma lenha estourava. O padre nem se dava conta; estava entregue à sua tarefa — um instrumento da Virgem, como havia dito antes. Falava na língua estranha. As palavras saíam com uma velocidade surpreendente. Suas mãos já não se mexiam — estavam colocadas nos ombros do homem à sua frente.

De repente, assim como havia começado, o ritual parou. O padre virou-se e deu uma bênção convencional, movendo a mão direita num grande sinal da cruz.

— Deus esteja sempre nesta casa — disse ele.

E, virando-se para mim, pediu que continuássemos a caminhada.

— Mas falta o café — disse a mulher, assim que nos viu saindo.

— Se eu tomar café agora, não durmo — respondeu o padre.

A mulher riu e murmurou algo como "ainda é de manhã". Não deu para escutar direito, porque já estávamos na estrada.

— Padre, a mulher falou de um rapaz que curou seu marido. Foi ele.

— Sim, foi ele.

Eu comecei a me sentir mal. Lembrava-me do dia anterior, de Bilbao, da conferência em Madri, das pessoas falando em milagres, da presença que senti enquanto rezava abraçada aos outros.

E eu amava um homem que era capaz de curar. Um homem que podia servir ao próximo, trazer alívio ao sofrimento, devolver a saúde aos enfermos e a esperança aos seus parentes. Uma missão que não cabia numa casa com cortinas brancas e discos e livros preferidos.

— Não se culpe, minha filha — disse ele.

— O senhor está lendo meus pensamentos.

— Sim, estou — respondeu o padre. — Também tenho um dom, e procuro ser digno dele. A Virgem me ensinou a mergulhar no turbilhão das emoções humanas, para saber dirigi-las da melhor maneira possível.

— O senhor também faz milagres.

— Não sou capaz de curar. Mas tenho um dos dons do Espírito Santo.

— Então o senhor pode ler meu coração, padre. E sabe que o amo, e este amor cresce a cada instante. Nós descobrimos juntos o mundo, e juntos permanecemos nele. Ele esteve presente em todos os dias da minha vida, querendo ou não.

O que eu poderia dizer para aquele padre que caminhava ao meu lado? Ele jamais entenderia que tive outros homens, me apaixonei, e, se tivesse me casado, seria feliz. Ainda criança, eu havia descoberto e esquecido o amor numa praça de Soria.

Mas, pelo visto, não fiz um bom trabalho. Bastaram três dias para que tudo voltasse.

— Tenho o direito de ser feliz, padre. Recuperei o que estava perdido, não quero tornar a perder. Vou lutar pela minha felicidade.

"Se eu renunciar a esta luta, estarei também renunciando à minha vida espiritual. Como o senhor diz, seria afastar Deus, o meu poder e a minha força de mulher. Vou lutar por ele, padre."

Eu sabia o que aquele homem baixo e gordo estava fazendo ali. Tinha vindo para me convencer a deixá-lo, porque ele tinha uma missão mais importante a cumprir.

Não, não ia acreditar naquela história de que o padre que caminhava ao meu lado gostaria que nos casássemos, para morar numa casa igual àquela em Saint-Savin. O padre dizia isso para me enganar, para que eu baixasse minhas defesas, e então — com um sorriso — me convencer do contrário.

Ele leu meus pensamentos sem dizer nada. Talvez estivesse me enganando, não era capaz de adivinhar o que os outros pensavam. A neblina se dissipava rapidamente, eu agora podia ver o caminho, a encosta da montanha, o campo e as árvores cobertos de neve. Minhas emoções também iam ficando mais claras.

Droga! Se fosse verdade, e o padre fosse mesmo capaz de ler pensamentos, que lesse e soubesse de tudo. Que soubesse que ontem ele quis fazer amor comigo, eu recusei — e estava arrependida.

Ontem pensava que, se ele tivesse que partir, eu poderia sempre lembrar o velho amigo de infância. Mas era bobagem. Mesmo que seu sexo não tenha penetrado em mim, algo mais profundo penetrou, e meu coração foi atingido.

— Padre, eu o amo — repeti.

— Eu também. O amor sempre faz besteiras. No meu caso, me obriga a tentar afastá-lo de seu destino.

— Não será fácil me afastar, padre. Ontem, durante as orações em frente à gruta, descobri que posso também despertar esses dons de que o senhor está falando. E vou usá-los para mantê-lo junto a mim.

— Oxalá — disse o padre, com um leve sorriso no rosto. — Oxalá você consiga.

O padre parou e tirou um terço do bolso. Depois, segurando-o, olhou dentro dos meus olhos.

— Jesus disse que não se deve jurar, e eu não estou jurando. Mas estou lhe dizendo, na presença do que me é sagrado, que eu não desejaria que ele seguisse a vida religiosa convencional. Não gostaria que ele fosse ordenado sacerdote.

"Ele pode servir a Deus de outras maneiras. Ao seu lado."

Eu custava a acreditar que estivesse dizendo a verdade. Mas estava.

— Ele está ali — disse o padre.

Eu me virei. Podia ver um carro parado um pouco adiante. O mesmo carro em que viemos da Espanha.

— Ele sempre vem a pé — respondeu, sorrindo. — Desta vez, quis nos dar a impressão de que tinha viajado para longe.

A neve ensopava o meu tênis. Mas o padre estava usando sandálias abertas, com meias de lã — e resolvi não reclamar.

Se ele podia, eu também podia. Começamos a subir em direção aos picos.

— Quanto tempo vamos andar?

— Meia hora, no máximo.

— Aonde estamos indo?

— Ao encontro dele. E de outros.

Vi que não queria continuar a conversa. Talvez necessitasse de todas as suas energias para subir. Caminhamos em silêncio — a neblina agora já estava quase dissolvida, e o disco amarelo do sol começava a aparecer.

Pela primeira vez, eu podia ter uma visão completa do vale; um rio correndo lá embaixo, alguns povoados espalhados e Saint-Savin encravada na encosta daquela montanha. Reconheci a torre da igreja, um cemitério que nunca notara antes e as casas medievais com vista para o rio.

Um pouco abaixo de nós, por um lugar onde já havíamos passado, um pastor agora conduzia seu rebanho de ovelhas.

— Estou cansado — disse o padre. — Vamos parar um pouco.

Limpamos a neve de cima de uma pedra e nos recostamos. O padre suava — e seus pés deviam estar congelados.

— Que Santiago conserve minhas energias, porque ainda quero percorrer seu caminho mais uma vez — disse o padre, virando-se para mim.

Não entendi o comentário e resolvi mudar de assunto.

— Existem marcas de passos na neve — falei.

— Algumas são de caçadores. Outras são de homens e mulheres que querem reviver uma tradição.

— Que tradição?

— A mesma de São Savin. Retirar-se do mundo, vir para estas montanhas, contemplar a glória de Deus.

— Padre, preciso entender algo. Até ontem, eu estava com um homem cuja dúvida era a vida religiosa ou o casamento. Hoje descobri que esse homem faz milagres.

— Todos fazemos milagres — disse o padre. — Jesus disse: se tivermos fé do tamanho de um grão de mostarda, diremos para esta montanha: "Mova-se!". E ela se moverá.

— Não quero aula de religião, padre. Eu amo um homem e quero saber mais sobre ele, entendê-lo, ajudá-lo. Não me importa o que todos podem ou não fazer.

O padre respirou fundo. Ficou um momento indeciso, mas logo começou:

— Um cientista que estudava macacos, numa ilha da Indonésia, conseguiu ensinar a certa macaca que ela devia lavar as batatas num rio antes de comê-las. Livre da areia e das sujeiras, o alimento ficava mais saboroso.

"O cientista, que fez aquilo só porque estava escrevendo um trabalho sobre a capacidade de aprendizado dos chimpanzés, não podia imaginar o que terminaria acontecendo. Ficou surpreso ao ver que os outros macacos da ilha começaram a imitá-la.

"Até que, um belo dia, quando um número determinado de macacos aprendeu a lavar batatas, os macacos de todas as outras ilhas do arquipélago começaram a fazer o mesmo. O mais surpreendente, porém, é que esses outros macacos aprenderam sem ter qualquer contato com a ilha onde a experiência estava sendo conduzida."

Ele parou.

— Entendeu?

— Não — respondi.

— Existem vários estudos científicos a respeito. A explicação mais comum é que, quando um determinado número de pessoas evolui, toda a raça humana termina evoluindo. Não sabemos quantas pessoas são necessárias, mas sabemos que é assim.

— Como a história da Imaculada — disse eu. — Apareceu para os sábios do Vaticano e para a camponesa ignorante.

— O mundo tem uma alma, e chega um momento em que essa alma age em tudo e em todos ao mesmo tempo.

— Uma alma feminina.

Ele riu, sem me deixar saber o que aquela risada significava.

— Por sinal, o dogma da Imaculada não foi uma coisa só do Vaticano — disse ele. — Oito milhões de pessoas assinaram uma petição ao papa pedindo isso. As assinaturas vieram de todos os cantos do mundo. A coisa estava no ar.

— Esse é o primeiro passo, padre?

— De quê?

— Do caminho que vai levar Nossa Senhora a ser considerada a encarnação da face feminina de Deus. Afinal, já aceitamos que Jesus encarnou sua face masculina.

— O que você quer dizer?

— Quanto tempo vai demorar para que aceitemos uma Santíssima Trindade onde a mulher aparece? A Santíssima Trindade do Espírito Santo, da Mãe e do Filho?

— Vamos andar — disse ele. — Está muito frio para ficarmos parados aqui.

— Há pouco tempo, você reparou nas minhas sandálias — disse ele.

— O senhor lê mesmo pensamentos? — perguntei.

Ele não me respondeu.

— Vou lhe contar parte da história da fundação de nossa ordem religiosa — disse. — Somos carmelitas descalços, segundo as regras estabelecidas por Santa Teresa de Ávila. As sandálias fazem parte; ser capaz de dominar o corpo é ser capaz de dominar o espírito.

"Teresa era uma linda mulher, colocada pelo pai no convento para que tivesse uma educação mais apurada. Um belo dia, quando passava por um corredor, começou a conversar com Jesus. Seus êxtases eram tão fortes e profundos que ela se entregou totalmente a eles, e em pouco tempo sua vida mudou por completo. Vendo que os conventos carmelitas haviam se transformado em agências de casamento, resolveu criar uma ordem que seguisse os ensinamentos originais de Cristo e do Carmelo.

"Santa Teresa teve que vencer a si mesma e enfrentar os grandes poderes de sua época, a Igreja e o Estado. Mesmo assim foi em frente, convencida de que precisava cumprir sua missão.

"Um dia, quando sua alma fraquejava, uma mulher com andrajos apareceu na casa onde estava hospedada. Queria falar de todo jeito com a madre. O dono da casa lhe ofereceu uma esmola, mas ela rejeitou: só sairia dali quando falasse com Teresa.

"Durante três dias esperou do lado de fora, sem comer e sem beber. A madre, compadecida, pediu que entrasse.

"— Não — disse o dono da casa. — Ela é louca.

"— Se eu fosse dar ouvidos a todos, terminaria achando que eu é que sou louca — respondeu a madre. — Pode ser que esta mulher tenha o mesmo tipo de loucura que tenho: a de Cristo na cruz."

— Santa Teresa falava com Cristo — disse eu.

— Sim — respondeu.

"Mas voltemos à história. A tal mulher foi recebida pela madre. Disse chamar-se Maria de Jesus Yepes, de Granada. Era noviça carmelita, quando a Virgem apareceu pedindo que fundasse um convento de acordo com as regras primitivas da ordem."

"Como Santa Teresa", pensei.

— Maria de Jesus saiu do convento no dia de sua visão, e foi caminhando descalça até Roma. Sua peregrinação demorou dois anos, período em que dormiu ao relento, sentiu frio e calor, sobreviveu de esmolas e da caridade alheia. Foi um milagre chegar lá. Mas milagre maior ainda foi ser recebida pelo papa Pio IV.

— Porque o papa, assim como Teresa e muitas outras pessoas, estava pensando a mesma coisa — concluí.

Assim como Bernadette não sabia a decisão do Vaticano, assim como os macacos de outras ilhas não podiam saber a experiência que estava sendo realizada, assim como Maria de Jesus e Teresa não sabiam o que uma e outra estavam pensando.

Alguma coisa começava a fazer sentido.

Caminhávamos agora por um bosque. Os galhos mais altos, secos e cobertos de neve, recebiam os primeiros raios do sol. A neblina estava se dissipando completamente.

— Sei aonde quer chegar, padre.

— Sim. O mundo vive um momento em que muita gente está recebendo a mesma ordem.

— Siga seus sonhos, transforme sua vida num caminho que leve a Deus. Realize seus milagres. Cure. Faça profecias. Escute seu anjo da guarda. Transforme-se. Seja um guerreiro, e seja feliz em seu combate.

— Corra seus riscos.

O sol agora inundava tudo. A neve começou a brilhar, e a claridade excessiva machucava minha vista. Mas — ao mesmo tempo — parecia completar o que o padre estava dizendo.

— E o que tem isso a ver com ele?

— Eu lhe contei o lado heroico da história. Mas você não sabe nada sobre a alma desses heróis.

Ele fez uma longa pausa.

— O sofrimento — continuou. — Nos momentos de transformação, surgem os mártires. Antes que as pessoas possam seguir seus sonhos, outros precisam se sacrificar.

Enfrentam o ridículo, a perseguição, a tentativa de desacreditarem seus trabalhos.

— A Igreja queimou as bruxas, padre.

— Sim. E Roma jogou os cristãos aos leões. Quem morreu na fogueira ou na arena subiu rápido para a Glória Eterna; foi melhor assim.

"Mas hoje guerreiros da Luz enfrentam algo pior que a morte com honra dos mártires. São consumidos pouco a pouco pela vergonha e pela humilhação. Assim foi com Santa Teresa, que sofreu o resto de sua vida. Assim foi com Maria de Jesus. Assim foi com os alegres meninos de Fátima: Jacinta e Francisco morreram em poucos meses; Lúcia internou-se em um convento, de onde nunca mais saiu."

— Mas não foi com Bernadette.

— Sim, foi. Teve que aguentar a prisão, a humilhação, o descrédito. Ele deve ter contado isso a você. Deve ter contado das palavras da Aparição.

— Algumas palavras — respondi.

— Nas aparições de Lourdes, as frases de Nossa Senhora não dão para encher meia página de um caderno; mesmo assim, a Virgem fez questão de dizer à pastora: "*Não lhe prometo felicidade neste mundo*". Por que uma de suas poucas frases foi para prevenir e consolar Bernadette? Porque Ela sabia a dor que a esperava dali por diante se aceitasse sua missão.

Eu olhava o sol, a neve e as árvores sem folhas.

— Ele é um revolucionário — continuou o padre, e o tom de sua voz era humilde. — Tem poder, conversa com Nossa Senhora. Se conseguir concentrar bem sua energia, pode estar na vanguarda, ser um dos líderes da transformação espiritual da raça humana. O mundo vive um momento muito importante.

"Se, entretanto, esta for sua escolha, irá sofrer muito. Suas revelações vieram antes da hora. Eu conheço suficientemente a alma humana para saber o que o espera adiante."

O padre virou-se para mim e me segurou pelos ombros.

— Por favor — disse. — Afaste-o do sofrimento e da tragédia que o esperam. Ele não resistirá.

— Entendo seu amor por ele, padre.

Ele balançou a cabeça.

— Não, você não entende nada. Você é ainda jovem demais para conhecer as maldades do mundo. Você, neste momento, também está se vendo como uma revolucionária. Quer mudar o mundo com ele, abrir os caminhos, fazer com que a história do amor de vocês se transforme em algo lendário, que será contado de geração em geração. Você ainda acha que o amor pode vencer.

— E não pode?

— Sim, pode. Mas vencerá na hora certa. Depois que as batalhas celestes terminarem.

— Eu o amo. E não preciso esperar as batalhas celestes para deixar meu amor vencer.

Seu olhar tornou-se distante.

— *Nas margens dos rios da Babilônia nós nos sentamos e choramos* — disse, como se falasse para si mesmo. — *Nos salgueiros que lá havia penduramos nossas harpas.*

— Que coisa triste — respondi.

— São as primeiras linhas de um salmo. Fala do exílio, daqueles que querem voltar à terra prometida e não podem. E esse exílio ainda vai durar algum tempo. O que posso fazer para tentar impedir o sofrimento de alguém que quer voltar ao Paraíso antes da hora?

— Nada, padre. Absolutamente nada.

— Ali está ele — disse o padre.

Eu o vi. Devia estar a uns duzentos metros de mim, ajoelhado no meio da neve. Estava sem camisa e — mesmo à distância — reparei sua pele arroxeada pelo frio.

Mantinha a cabeça baixa e as mãos postas em oração. Não sei se influenciada pelo ritual a que assisti na noite anterior, ou pela mulher que juntava lenha na cabana, sentia-me olhando para alguém com uma gigantesca força espiritual. Alguém que não pertencia mais a este mundo — vivia em comunhão com Deus e com os espíritos iluminados do Alto. O brilho da neve a sua volta parecia reforçar mais esta impressão.

— Neste monte, existem outros assim — falou o padre. — Em constante adoração, comungando com a experiência de Deus e da Virgem. Escutando anjos, santos, profecias, palavras de sabedoria, e transmitindo tudo isso para um pequeno grupo de fiéis. Enquanto continuar assim, não haverá problema.

"Mas ele não vai ficar aqui. Irá correr o mundo e pregar a ideia da Grande Mãe. A Igreja não quer isso agora. E o mundo tem pedras na mão para atirar nos primeiros que tocarem neste assunto."

— E tem flores nas mãos para atirar nos que vierem depois.

— Sim. Mas este não é o seu caso.

O padre começou a andar em direção a ele.

— Aonde o senhor está indo?

— Despertá-lo de seu transe. Dizer que gostei de vocês. E que abençoo esta união. Quero fazer isto aqui, neste lugar que para ele é sagrado.

Comecei a sentir náusea, como alguém que está com medo mas não entende o porquê desse medo.

— Preciso pensar, padre. Não sei se está certo.

— Não está certo — respondeu ele. — Muitos pais erram com os filhos porque pensam que sabem o que é melhor para eles. Não sou seu pai, e sei que estou agindo errado. Mas tenho que cumprir meu destino.

Eu estava cada vez mais ansiosa.

— Não vamos interrompê-lo — disse. — Deixe que acabe sua contemplação.

— Ele não devia estar aqui. Devia estar com você.

— Talvez esteja conversando com a Virgem.

— Pode ser. Mesmo assim, precisamos ir até lá. Se me vir com você, saberá que eu lhe contei tudo. Ele sabe o que penso.

— Hoje é o dia da Imaculada Conceição — insisti. — Um dia muito especial para ele. Acompanhei sua alegria ontem à noite, diante da gruta.

— A Imaculada é importante para todos nós — respondeu o padre. — Mas agora sou eu quem não quer discutir religião: vamos até lá.

— Por que agora, padre? Por que neste minuto?

— Porque sei que está decidindo o seu futuro. E pode ser que escolha o caminho errado.

Virei-me na direção oposta e comecei a descer pelo mesmo caminho que havíamos subido. O padre veio atrás.

— O que você está fazendo? Não vê que é a única que pode salvá-lo? Não vê que ele a ama, e largaria tudo por você?

Meus passos eram cada vez mais rápidos, e era difícil me seguir. Mesmo assim, ele continuou andando ao meu lado.

— Neste exato momento, ele está escolhendo! Pode estar escolhendo deixar você! — dizia o padre. — Lute por aquilo que ama!

Mas eu não parei. Andei o mais rápido que podia, deixando para trás a montanha, o padre, as escolhas. Sei que o homem que corria atrás de mim lia meus pensamentos, e sabia que seria inútil qualquer tentativa de me fazer voltar. Mesmo assim ele insistia, argumentava, lutava até o final.

Finalmente, chegamos à pedra onde havíamos descansado meia hora antes. Exausta, atirei-me ao chão.

Não pensava em nada. Queria fugir dali, ficar só, ter tempo para refletir.

O padre chegou alguns minutos depois, também exaurido pela caminhada.

— Está vendo estas montanhas à nossa volta? — perguntou ele. — Elas não rezam; elas já são a oração de Deus. São assim porque encontraram seu lugar no mundo, e neste lugar permanecem. Elas estavam aí antes que o homem olhasse o céu, escutasse o trovão e perguntasse quem criou tudo isto. Nascemos, sofremos, morremos, e as montanhas continuam aí.

"Existe um momento em que precisamos pensar se vale a pena tanto esforço. Por que não tentar ser como estas montanhas, sábias, antigas, e no seu lugar adequado? Por que arriscar tudo para transformar meia dúzia de pessoas, que logo esquecem o que foi ensinado e partem para uma nova aventura? Por que não esperar que um determinado número de macacos-homens aprenda, e, então, o conhecimento seja espalhado sem sofrimento por todas as outras ilhas?"

— O senhor acha isso mesmo, padre?

Ele ficou quieto por um instante.

— Você está lendo pensamentos?

— Não. Mas se o senhor achasse isso não teria escolhido a vida religiosa.

— Muitas vezes tento entender meu destino — disse ele. — E não consigo. Aceitei ser parte do exército de Deus, e tudo o que tenho feito é tentar explicar aos homens por que existe miséria, dor, injustiça. Eu peço que sejam bons cristãos, e eles me perguntam: "Como posso crer em Deus, quando existe tanto sofrimento no mundo?".

"E tento explicar o que não tem explicação. Tento dizer que existe um plano, uma batalha entre anjos, e que estamos todos envolvidos nesta luta. Tento dizer que, quando um determinado número de pessoas tiver fé suficiente para mudar este cenário, todas as outras, em todas as partes do planeta, serão beneficiadas por essa mudança. Mas não acreditam em mim. Não fazem nada."

— São como as montanhas — disse eu. — São belas. Quem chega diante delas não consegue deixar de pensar na grandeza da Criação. São provas vivas do amor que Deus sente por nós, mas o destino destas montanhas é apenas dar testemunho.

"Não são como os rios, que se movem e transformam a paisagem."

— Sim. Mas por que não ser como elas?

— Talvez porque deve ser terrível o destino das montanhas — respondi. — Elas são obrigadas a contemplar sempre a mesma paisagem.

O padre não disse nada.

— Eu estava estudando para ser montanha — continuei. — Tinha cada coisa no seu lugar certo. Ia entrar para um emprego público, casar-me, ensinar a religião dos meus pais aos meus filhos, embora não acreditasse mais nela.

"Hoje estou decidida a largar tudo isso e seguir o homem que amo. Ainda bem que desisti de ser montanha; não ia aguentar muito tempo."

— Você diz coisas sábias.

— Tenho me surpreendido comigo mesma. Antes só conseguia falar da infância.

Levantei-me e continuei a descer. O padre respeitou meu silêncio e não tentou conversar comigo até chegarmos à estrada.

Segurei suas mãos e as beijei.

— Vou me despedir. Mas quero dizer que entendo o senhor e o seu amor por ele.

O padre sorriu e me abençoou.

— Também entendo seu amor por ele — disse.

Durante o resto daquele dia caminhei pelo vale. Brinquei com a neve, estive em uma cidade próxima a Saint-Savin, comi um sanduíche de patê, fiquei olhando alguns garotos que jogavam futebol.

Na igreja de outro povoado, acendi uma vela. Fechei os olhos e repeti as invocações que aprendera no dia anterior. Depois comecei a pronunciar palavras sem sentido — enquanto me concentrava na imagem de um crucifixo atrás do altar. Aos poucos, o dom das línguas foi tomando conta de mim. Era mais fácil do que eu pensava.

Podia parecer bobagem — murmurar coisas, dizer palavras que não se conhecem, e que não significam nada para o nosso raciocínio. Mas o Espírito Santo estava conversando com minha alma, dizendo coisas que ela precisava ouvir.

Quando senti que estava suficientemente purificada, fechei os olhos e rezei:

"Nossa Senhora, me devolve a fé. Que eu possa também ser um instrumento do Teu trabalho. Dá-me a oportunidade de aprender através do meu amor. Porque o amor nunca afastou ninguém de seus sonhos.

"Que eu seja companheira e aliada do homem que amo. Que ele faça tudo o que teria de fazer — ao meu lado."

Quando voltei para Saint-Savin já era quase noite. O carro estava parado diante da casa onde havíamos alugado o quarto.

— Onde você esteve? — perguntou ele, assim que me viu.

— Andando e rezando — respondi.

Ele me deu um forte abraço.

— Por um instante, tive medo de que você tivesse ido embora. Você é a coisa mais preciosa que tenho nesta terra.

— Você também — respondi.

Paramos num povoado perto de San Martín de Unx. A travessia dos Pireneus havia demorado mais do que pensávamos — por causa da chuva e da neve do dia anterior.

— Precisamos encontrar alguma coisa aberta — disse ele, saltando do carro. — Estou com fome.

Não me movi.

— Venha — insistiu, abrindo minha porta.

— Queria fazer uma pergunta. Uma pergunta que não fiz desde que nos encontramos.

Ele ficou sério na mesma hora. Ri da sua preocupação.

— É uma pergunta muito importante?

— Muito importante — respondi tentando parecer séria. — A pergunta é a seguinte: aonde estamos indo?

Explodimos em gargalhadas.

— A Zaragoza — respondeu, aliviado.

Saltei do carro e começamos a procurar um restaurante aberto. Seria quase impossível, àquela hora da noite.

"Não, não é impossível. A Outra não está mais comigo. Milagres acontecem", disse para mim mesma.

— Quando você tem que chegar a Barcelona? — perguntei.

Ele não respondeu, e seu rosto ficou sério. "Devo evitar essas perguntas", pensei. "Pode parecer que estou tentando controlar sua vida."

Andamos um pouco sem conversar nada. Na praça da cidadezinha, havia um letreiro iluminado: *Mesón El Sol*.

— Ali está aberto. Vamos comer — foi seu único comentário.

Os pimentões vermelhos com anchovas estavam dispostos em forma de estrela. Ao lado, o queijo manchego, em fatias quase transparentes.

No centro da mesa, uma vela acesa e uma garrafa de vinho Rioja quase pela metade.

— Isto era uma adega medieval — comentou o rapaz que servia.

Não havia quase ninguém no bar àquela hora da noite. Ele levantou-se, foi ao telefone e voltou para a mesa. Senti vontade de perguntar para quem havia ligado — mas dessa vez consegui me controlar.

— Ficamos abertos até as duas e meia da manhã — continuou o rapaz. — Mas, se quiserem, podemos trazer mais presunto, queijo e vinho, e vocês ficam na praça. O álcool afastará o frio.

— Não vamos demorar tanto — respondeu ele. — Temos de chegar a Zaragoza antes que amanheça.

O rapaz voltou para o balcão. Tornamos a encher nossos copos. Sentia de novo a leveza que sentira em Bilbao — a suave embriaguez do Rioja, que nos ajuda a dizer e a ouvir coisas difíceis.

— Você está cansado de dirigir, e estamos bebendo

— falei depois de mais um gole. — É melhor ficar por aqui. Eu vi um parador* enquanto caminhávamos.

Ele concordou com a cabeça.

— Olhe para esta mesa à nossa frente — foi seu comentário. — Os japoneses chamam isto de *shibumi*: a verdadeira sofisticação das coisas simples. As pessoas se enchem de dinheiro, vão a lugares caros e acham que estão sendo sofisticadas.

Bebi mais vinho.

O parador. Mais uma noite ao seu lado.

A virgindade que misteriosamente se refizera.

— É curioso ouvir um seminarista falando de sofisticação — disse, tentando concentrar-me em outra coisa.

— Pois aprendi isso no seminário. Quanto mais nos aproximamos de Deus através da fé, mais simples Ele se torna. E quanto mais simples Ele se torna, mais forte é Sua presença.

Sua mão deslizou pela tábua da mesa.

— Cristo aprendeu sua missão enquanto cortava a madeira e fazia cadeiras, camas, armários. Veio como carpinteiro, para nos mostrar que, não importa o que façamos, tudo pode nos levar à experiência do amor de Deus.

Ele parou de repente.

— Não quero falar disso — disse. — Quero falar de outro tipo de amor.

Suas mãos tocaram meu rosto.

O vinho tornava as coisas mais fáceis para ele. E para mim.

---

* Antigos castelos e monumentos históricos transformados em hotéis pelo governo espanhol. (N. A.)

— Por que você parou de repente? Por que não quer falar de Deus, da Virgem, do mundo espiritual?

— Quero falar de outro tipo de amor — insistiu. — Aquele que um homem e uma mulher compartilham, e em que também se manifestam os milagres.

Segurei suas mãos. Ele podia conhecer os grandes mistérios da Deusa — mas de amor sabia tanto quanto eu. Mesmo que tivesse viajado tanto.

E teria que pagar um preço: a iniciativa. Porque a mulher paga o preço mais alto: a entrega.

Ficamos de mãos dadas por um longo tempo. Lia em seus olhos os medos ancestrais que o verdadeiro amor coloca como provas a serem vencidas. Li a lembrança da rejeição da noite anterior, o longo tempo que passamos separados, os anos no mosteiro em busca de um mundo onde essas coisas não aconteciam.

Lia em seus olhos os milhares de vezes em que havia imaginado este momento, os cenários que construíra ao nosso redor, o cabelo que eu devia estar usando e a cor da minha roupa. Eu queria dizer "sim", que ele seria bem-vindo, que o meu coração havia vencido a batalha. Queria dizer quanto o amava, quanto o desejava naquele momento.

Mas continuei em silêncio. Assisti, como se fosse um sonho, à sua luta interior. Vi que tinha diante dele o meu "não", o medo de me perder, as palavras duras que escutou em momentos semelhantes — porque todos passamos por isso, e acumulamos cicatrizes.

Seus olhos começaram a brilhar. Sabia que estava vencendo todas aquelas barreiras.

Então soltei uma das mãos, peguei um copo e colo-quei na beirada da mesa.

— Vai cair — disse ele.

— Exato. Quero que você o derrube.

— Quebrar um copo?

Sim, quebrar um copo. Um gesto aparentemente simples, mas que envolvia pavores que nunca chegaremos a compreender direito. O que há de errado em que-brar um copo barato — quando todos nós já fizemos isso sem querer alguma vez na vida?

— Quebrar um copo? — repetiu ele. — Por quê?

— Posso dar algumas explicações — respondi. — Mas, na verdade, é apenas por quebrar.

— Por você?

— Claro que não.

Ele olhava o copo de vidro na beira da mesa — preo-cupado com que caísse.

"É um rito de passagem, como você mesmo fala", tive vontade de dizer. "É o proibido. Copos não se que-bram de propósito. Quando entramos em restaurantes ou em nossas casas, tomamos cuidado para que os co-pos não fiquem na beira da mesa. Nosso universo exi-ge que tomemos cuidado para que os copos não caiam no chão."

Entretanto, continuei pensando, quando os quebra-mos sem querer, vemos que não era tão grave assim. O garçom diz "não tem importância", e nunca na vida vi um copo quebrado ser incluído na conta de um restau-rante. Quebrar copos faz parte da vida e não causamos qualquer dano a nós, ao restaurante ou ao próximo.

Dei um esbarrão na mesa. O copo balançou, mas não caiu.

— Cuidado! — disse ele, instintivamente.

— Quebre o copo — insisti.

Quebre o copo, pensava comigo mesma, porque é um gesto simbólico. Procure entender que eu quebrei dentro de mim coisas muito mais importantes do que um copo, e estou feliz por isto. Olhe para a sua própria luta interior e quebre este copo.

Porque nossos pais nos ensinaram a tomar cuidado com os copos e com os corpos. Ensinaram que as paixões da infância são impossíveis, que não devemos afastar homens do sacerdócio, que as pessoas não fazem milagres, e que ninguém sai para uma viagem sem saber aonde vai.

Quebre este copo, por favor — e nos liberte de todos esses conceitos malditos, essa mania que se tem de explicar tudo e só fazer aquilo que os outros aprovam.

— Quebre este copo — pedi mais uma vez.

Ele fixou seus olhos nos meus. Depois, devagar, deslizou sua mão pelo tampo da mesa, até tocá-lo. Num rápido movimento, empurrou-o para o chão.

O barulho do vidro quebrado chamou a atenção de todos. Em vez de disfarçar o gesto com algum pedido de desculpas, ele me olhava sorrindo — e eu sorria de volta.

— Não tem importância — gritou o rapaz que atendia as mesas.

Mas ele não escutou. Havia se levantado, me agarrado pelos cabelos, e me beijava.

* * *

Eu também o agarrei nos cabelos, abracei-o com toda a força, mordi seus lábios, senti sua língua se movendo dentro de minha boca. Era um beijo que havia esperado muito — que havia nascido junto dos rios de nossa infância, quando ainda não compreendíamos o significado do amor. Um beijo que ficou suspenso no ar quando crescemos, que viajou pelo mundo através da lembrança de uma medalha, que ficou escondido atrás de pilhas de livros de estudos para um emprego público. Um beijo que se perdeu tantas vezes e que agora tinha sido encontrado. Naquele minuto de beijo estavam anos de buscas, de desilusões, de sonhos impossíveis.

Eu o beijei com força. As poucas pessoas que estavam naquele bar devem ter olhado, e pensavam estar vendo apenas um beijo. Não sabiam que naquele minuto de beijo estava o resumo da minha vida, da vida dele, da vida de qualquer pessoa que espera, sonha e busca o seu caminho debaixo do sol.

Naquele minuto de beijo estavam todos os momentos de alegria que vivi.

Ele tirou a minha roupa e me penetrou com força, com medo, com vontade. Senti alguma dor, mas aquilo não tinha importância. Como nem sequer tinha importância o meu prazer naquele momento. Passava as mãos em sua cabeça, escutava seus gemidos, e agradecia a Deus porque ele estava ali, dentro de mim, me fazendo sentir como se fosse a primeira vez.

Nos amamos a noite inteira — e o amor se misturava com sono e sonhos. Sentia-o dentro de mim e o abraçava para ter certeza de que aquilo estava acontecendo mesmo, para não deixar que partisse de repente — como os cavaleiros andantes que algum dia habitaram o velho castelo transformado em hotel. As silenciosas paredes de pedra pareciam contar histórias de donzelas que ficavam esperando, das lágrimas derramadas, dos dias sem fim à janela, olhando o horizonte, em busca de um sinal ou de uma esperança.

Mas eu jamais passaria por isso, prometi a mim mesma. Não iria perdê-lo nunca. Ele sempre estaria comigo — porque eu escutei as línguas do Espírito Santo, olhando um crucifixo por trás de um altar, e elas disseram que eu não estava cometendo um pecado.

Seria sua companheira, e juntos desbravaríamos o mundo que estava para ser criado de novo. Falaríamos da Grande Mãe, lutaríamos ao lado do arcanjo Miguel, viveríamos juntos a agonia e o êxtase dos pioneiros. Isto me disseram as línguas — e eu havia recuperado a fé, sabia que falavam a verdade.

QUINTA-FEIRA,
9 DE DEZEMBRO DE 1993

Acordei com os seus braços em cima de meus seios. Já era dia claro e os sinos de uma igreja próxima estavam tocando.

Ele me beijou. Suas mãos acariciaram mais uma vez o meu corpo.

— Temos que ir — disse. — Hoje acabam os feriados, as estradas devem estar congestionadas.

— Não quero ir para Zaragoza — respondi. — Quero seguir direto para onde você vai. Os bancos abrem daqui a pouco, posso usar o cartão para pegar dinheiro e comprar roupas.

— Você me disse que não tem muito dinheiro.

— Eu dou um jeito. Tenho que romper sem piedade com meu passado. Se voltar a Zaragoza, posso achar que estou fazendo uma tolice, que falta pouco para as provas, que podemos ficar dois meses separados, até que eu termine os exames.

"E, se eu passar, não vou querer sair de Zaragoza. Não, não posso voltar. Preciso destruir as pontes que me ligam à mulher que fui."

— Barcelona — disse ele para si mesmo.

— O quê?

— Nada. Vamos continuar viajando.

— Mas você tem uma palestra.

— Ainda faltam dois dias — respondeu ele. Sua voz soava estranha. — Vamos a outro lugar. Não quero ir direto para Barcelona.

Levantei-me. Não queria pensar em problemas — talvez tivesse acordado como sempre se acorda depois da primeira noite de amor com alguém: com uma certa cerimônia e vergonha.

Fui até a janela, abri uma fresta da cortina e olhei a pequena rua à nossa frente. Os balcões das casas tinham roupas estendidas para secar. Os sinos tocavam lá fora.

— Tenho uma ideia — falei. — Vamos a um lugar onde já fomos quando crianças. Nunca mais voltei lá.

— Onde?

— Vamos ao mosteiro de Piedra.

Quando saímos do hotel, os sinos continuavam tocando e ele sugeriu que entrássemos um pouco na igreja.

— Não temos feito outra coisa — respondi. — Igrejas, orações, rituais.

— Fizemos amor — disse ele. — Nos embriagamos três vezes. Caminhamos pelas montanhas. Temos equilibrado bem o Rigor e a Misericórdia.

Eu havia dito uma bobagem. Precisava me acostumar com uma nova vida.

— Me desculpe — disse.

— Entramos por pouco tempo. Estes sinos são um sinal.

Ele tinha toda a razão, mas eu só ia perceber isso no dia seguinte. Sem entender direito o sinal oculto, pegamos o carro e viajamos durante quatro horas até o mosteiro de Piedra.

O teto havia desabado e as poucas imagens que ainda existiam estavam sem cabeça — exceto uma.

Olhei em volta. No passado, aquele lugar deve ter abrigado homens de vontade forte, que cuidavam para que cada pedra estivesse limpa e cada banco estivesse ocupado por um dos poderosos da época.

Mas tudo o que via agora à minha frente eram ruínas. As ruínas que, na infância, se transformavam em castelos onde brincávamos juntos, e nos quais eu procurava meu príncipe encantado.

Durante séculos, os monges do mosteiro de Piedra guardaram para si aquele pedaço do paraíso. Situado no fundo de uma depressão geográfica, tinha de graça o que os povoados vizinhos precisavam mendigar para conseguir: água. Ali, o rio Piedra se espalhava em dezenas de cachoeiras, riachos, lagos, fazendo com que uma vegetação luxuriante se desenvolvesse à sua volta.

Entretanto, bastava caminhar algumas centenas de metros para sair do canyon: tudo em volta era aridez e desolação. O próprio rio, quando terminava de cruzar a depressão geográfica, transformava-se de novo num pequeno fio d'água — como se naquele lugar tivesse gasto toda a sua juventude e sua energia.

Os monges sabiam disso, e a água que forneciam aos vizinhos custava caro. Um sem-número de lutas entre os sacerdotes e os povoados marcou a história do mosteiro.

Finalmente, durante uma das muitas guerras que sacudiram a Espanha, o mosteiro de Piedra foi transformado em quartel. Cavalos passeavam pela nave central da igreja, soldados acampavam entre seus bancos, contavam histórias pornográficas e faziam amor com as mulheres dos povoados vizinhos.

A vingança — embora tardia — havia chegado. O mosteiro foi saqueado e destruído.

Nunca mais os monges conseguiram reaver aquele paraíso. Em uma das muitas batalhas jurídicas que se seguiram, alguém disse que os habitantes dos povoados vizinhos executaram uma sentença de Deus. Cristo dissera: "Dai de beber a quem tem sede", e os padres ficaram surdos às suas palavras. Por esse motivo, Deus expulsou os que se julgavam donos da natureza.

E talvez fosse por isso que, embora grande parte do convento houvesse sido reconstruída e transformada em hotel, a igreja principal ainda permanecia em ruínas. Os descendentes dos povos vizinhos continuavam se lembrando do alto preço que seus pais tiveram que pagar — por uma coisa que a natureza dava de graça.

— De quem é a única imagem com cabeça? — perguntei.

— Santa Teresa de Ávila — respondeu ele. — Ela tem poder. E, mesmo com toda a sede de vingança que as guerras trazem, ninguém ousou tocá-la.

Ele me pegou pela mão e saímos. Passeamos pelos gigantescos corredores do convento, subimos as largas escadas de madeira e vimos as borboletas nos jardins internos do claustro. Eu me lembrava de cada detalhe daquele mosteiro — porque estivera ali na infância, e as lembranças antigas parecem mais vivas que as recentes.

ᕲ✖ᕲ

Memória. O mês anterior e os dias anteriores àquela semana pareciam fazer parte de uma outra encarnação minha. Uma época a que eu não queria voltar nunca mais, porque suas horas não tinham sido tocadas pela mão do amor. Eu me sentia como se tivesse vivido o mesmo dia durante anos a fio, despertando do mesmo jeito, repetindo as mesmas coisas e tendo sempre os mesmos sonhos.

Lembrei-me de meus pais, dos pais de meus pais e de muitos amigos meus. Lembrei-me de quanto tempo passei lutando para conseguir uma coisa que eu não queria.

Por que fizera isso? Não conseguia encontrar uma explicação. Talvez porque tivesse preguiça de pensar em outros caminhos. Talvez pelo medo do que os outros iam pensar. Talvez porque desse muito trabalho ser diferente. Talvez porque o ser humano esteja condenado a repetir os passos da geração anterior, até que — e eu me lembrei do padre superior — um determinado número de pessoas começa a se comportar de outra maneira.

Então o mundo muda, e nós mudamos com ele.

Mas eu não queria mais ser assim. O destino me devolvera o que era meu, e agora me dava a possibilidade de mudar a mim mesma e de ajudar a transformar o mundo.

Pensei de novo nas montanhas e nos alpinistas que encontramos quando passeávamos. Eram jovens, tinham as roupas coloridas para chamar atenção caso se perdessem na neve, e conheciam a trilha certa até os cumes.

As encostas já estavam com pinos de alumínio cravados: tudo o que precisavam fazer era usar ganchos para passar suas cordas e subir com segurança. Estavam ali para uma aventura de feriado, e na segunda-feira retornariam a seus trabalhos com a sensação de haverem desafiado a natureza — e vencido.

Mas não era nada disso. Aventureiros foram os primeiros, os que decidiram descobrir os caminhos. Alguns nem chegaram à metade, caíram em fendas na rocha. Outros perderam seus dedos, gangrenados pelo frio. Muitos nunca mais foram vistos. Mas um dia alguém chegou ao alto de um daqueles picos.

E seus olhos foram os que primeiro viram aquela paisagem, e seu coração bateu com alegria. Ele havia aceitado os riscos e agora honrava — com a sua conquista — todos os que haviam morrido enquanto tentavam.

É possível que as pessoas lá embaixo pensassem: "Não tem nada lá em cima, apenas uma paisagem; que graça tem isso?".

Mas o primeiro alpinista sabia qual era a graça: aceitar os desafios e ir adiante. Saber que nenhum dia era igual a outro, e que cada manhã tinha seu milagre especial, seu momento mágico, em que velhos universos se destruíam e novas estrelas se criavam.

O primeiro homem que subiu aquelas montanhas deve ter feito a mesma pergunta ao olhar aquelas casinhas lá embaixo com suas chaminés fumegando: "O dia deles parece sempre igual; que graça tem isso?".

Agora as montanhas já estavam conquistadas, os astronautas já tinham andado no espaço, não havia mais nenhuma ilha na Terra — por menor que fosse — que pudesse ser descoberta. Mas sobravam as grandes aventuras do espírito — e uma delas me estava sendo oferecida agora.

Era uma bênção. O padre superior não entendia nada. Estas dores não machucam.

Bem-aventurados os que podem dar os primeiros passos. Um dia as pessoas saberiam que o homem era capaz de falar a língua dos anjos, que todos nós tínhamos os dons do Espírito Santo, e que podíamos fazer milagres, curar, profetizar, entender.

Passamos a tarde caminhando pelo canyon, lembrando os tempos de infância. Era a primeira vez que ele fazia isso; em nossa viagem até Bilbao, parecia não se interessar mais por Soria.

Agora, porém, me pedia detalhes de cada um de nossos amigos, queria saber se estavam felizes, o que estavam fazendo na vida.

Chegamos finalmente à maior cachoeira do Piedra — que junta as águas de pequenos riachos espalhados e as atira de uma altura de quase trinta metros. Ficamos parados na margem, escutando o ruído ensurdecedor, contemplando um arco-íris na neblina que as grandes quedas-d'água formam.

— A Cauda do Cavalo — disse eu, surpresa por ainda saber um nome que já havia escutado há tanto tempo.

— Estou me lembrando... — começou ele.

— Sim! Eu sei o que você vai dizer!

Claro que sabia! A queda-d'água escondia uma gigantesca gruta. Ainda crianças, quando voltamos de nosso primeiro passeio ao mosteiro de Piedra, ficamos conversando sobre aquele lugar dias seguidos.

— A caverna — completou ele. — Vamos até lá!

Era impossível passar por debaixo da torrente de água que caía. Os antigos monges construíram um túnel que sai do ponto mais alto da cachoeira e desce por dentro da terra, até a parte de trás da gruta.

Não foi difícil achar a entrada. Durante o verão, talvez existissem luzes para mostrar o caminho; mas nós éramos as únicas pessoas ali, e o túnel estava completamente às escuras.

— Vamos assim mesmo? — perguntei.

— Claro. Confie em mim.

Começamos a descer pelo buraco ao lado da cachoeira. Embora a escuridão nos cercasse, sabíamos aonde estávamos indo — e ele pedira que eu confiasse nele.

"Obrigada, Senhor", pensava eu enquanto penetrávamos cada vez mais fundo no seio da terra. "Porque eu era uma ovelha perdida e Tu me trouxeste de volta. Porque minha vida estava morta e Tu a ressuscitaste. Porque o amor não habitava mais o meu coração e Tu me devolveste esta graça."

Eu segurava no seu ombro. O meu amado guiava meus passos pelos caminhos de treva, sabendo que tornaríamos a encontrar a luz e nos alegraríamos com ela. Podia ser que, em nosso futuro, existissem momentos em que esta situação se invertesse; então eu o guiaria com o mesmo amor e a mesma certeza, até chegarmos a um lugar seguro, onde pudéssemos descansar juntos.

Andávamos devagar, e a descida parecia não terminar nunca. Talvez ali estivesse um novo rito de passagem —

final de uma época em que nenhuma luz brilhava em minha vida. À medida que eu caminhava por aquele túnel, lembrava quanto tempo havia perdido no mesmo lugar, tentando criar raízes num solo onde nada mais crescia.

Mas Deus era bom e me dera de volta o entusiasmo perdido, as aventuras que sonhei, o homem que — sem querer — havia esperado por toda a minha vida. Não sentia qualquer remorso pelo fato de ele estar deixando o seminário; porque havia muitas maneiras de servir a Deus, como o padre dissera, e nosso amor multiplicaria essas maneiras. A partir de agora, eu também tinha a chance de servir e ajudar — tudo por causa dele.

Sairíamos pelo mundo, ele levando conforto aos outros e eu levando conforto a ele.

"Obrigada, Senhor, por me ajudar a servir. Ensina-me a ser digna disso. Dá-me forças para ser parte de sua missão, caminhar com ele pela Terra, desenvolver novamente minha vida espiritual. Que todos os nossos dias sejam como foram estes — de lugar em lugar, curando os doentes, confortando os tristes, falando do amor da Grande Mãe por todos nós."

De repente, o barulho da água voltou, a luz inundou nosso caminho e o túnel negro se transformou num dos mais belos espetáculos da Terra. Estávamos dentro de uma imensa caverna — do tamanho de uma catedral. Três paredes eram de pedra; a quarta parede era a Cauda do Cavalo, com sua água descendo e caindo no lago verde-esmeralda aos nossos pés.

Os raios do sol poente atravessavam a cachoeira e as paredes molhadas brilhavam.

Ficamos recostados na pedra, sem dizer nada.

Antes, quando éramos crianças, este lugar era o esconderijo dos piratas, que guardava os tesouros de nossas fantasias infantis. Agora, era o milagre da Mãe Terra; eu me sentia em seu ventre, sabia que Ela estava ali, nos protegendo com suas paredes de pedra e lavando nossos pecados com sua parede de água.

— Obrigada — disse eu em voz alta.

— A quem você agradece?

— A Ela. E a você, que foi um instrumento para que a minha fé voltasse.

Ele aproximou-se da beira do lago subterrâneo. Contemplou suas águas e sorriu.

— Venha até aqui — pediu.

Eu me aproximei.

— Tenho que lhe contar algo que ainda não sabe — disse ele.

Suas palavras me deixaram apreensiva. Mas seu olhar estava tranquilo, e eu tornei a me acalmar.

— Todas as pessoas sobre a face da Terra têm um dom — começou. — Em algumas ele se manifesta espontaneamente; outras precisam trabalhar para encontrá-lo. Eu trabalhei meu dom durante os quatro anos que passei no seminário.

Agora eu precisava "contracenar", para usar um termo que ele havia me ensinado quando o velho nos barrou na igreja.

Tinha que fingir que não sabia de nada.

"Não está errado", pensei. "Não é um roteiro de frustração, mas de alegria."

— O que se faz no seminário? — perguntei, procurando ganhar tempo para melhor desempenhar meu papel.

— Não vem ao caso — disse. — O fato é que desenvolvi um dom. Sou capaz de curar, quando Deus assim deseja.

— Que bom — respondi, tentando parecer surpresa. — Não gastaremos dinheiro com médicos!

Ele não riu. E eu me senti como uma idiota.

— Desenvolvi meus dons através das práticas carismáticas que você viu — continuou. — No começo, ficava surpreso; orava, pedia a presença do Espírito Santo, impunha minhas mãos e devolvia a saúde a muitos doentes. A minha fama começou a se espalhar, e todos os dias pessoas faziam fila na porta do seminário esperando que eu as socorresse. Em cada ferida infecta e malcheirosa eu via as chagas de Jesus.

— Tenho orgulho de você — falei.

— Muita gente do mosteiro foi contra, mas meu superior me deu todo o apoio.

— Continuaremos esse trabalho. Seguiremos juntos pelo mundo. Eu limparei as feridas, você as abençoará e Deus manifestará seus milagres.

Ele desviou os olhos de mim e fixou-os no lago. Parecia haver uma presença naquela caverna — algo semelhante à noite em que nos embriagamos junto ao poço de Saint-Savin.

— Eu já lhe contei, mas vou repetir — continuou. — Certa noite, acordei com o quarto todo iluminado. Vi o rosto da Grande Mãe e seu olhar de amor. A partir desse dia, comecei a vê-La de vez em quando. Não consigo provocar, mas de vez em quando Ela aparece.

"A essa altura, eu já estava a par do trabalho dos verdadeiros revolucionários da Igreja. Sabia que minha missão na Terra, além de curar, era aplainar o caminho para que Deus-Mulher fosse de novo aceito. O princípio feminino, a coluna da Misericórdia, tornaria a se erguer, e o Templo da Sabedoria seria reconstruído no coração dos homens."

Eu o olhava. Sua expressão, que antes era tensa, voltou a ficar tranquila.

— Isso tinha um preço, que eu estava disposto a pagar.

Ele ficou quieto, sem saber como continuar sua história.

— O que você quer dizer com "estava"? — perguntei.

— O caminho da Deusa poderia ser aberto apenas com palavras e milagres. Mas o mundo não funciona assim. Vai ser mais duro; lágrimas, incompreensão, sofrimento.

"Aquele padre", pensei comigo mesma, "tentou colocar medo no coração dele. Mas eu serei seu conforto."

— O caminho não é de dor, é da glória de servir — respondi.

— A maioria dos seres humanos ainda desconfia do amor.

Senti que queria me dizer algo e não estava conseguindo. Talvez eu pudesse ajudá-lo.

— Eu estava pensando nisto — interrompi. — O primeiro homem que escalou o pico mais alto dos Pireneus entendeu que a vida sem aventura não tinha graça.

— O que você entende de graça? — perguntou, e vi que estava de novo tenso. — Um dos nomes da Grande Mãe é Nossa Senhora das Graças, e Suas mãos generosas derramam Suas bênçãos sobre todas as pessoas que sabem recebê-las.

"Nunca podemos julgar a vida dos outros, porque cada um sabe de sua própria dor e de sua renúncia. Uma coisa é você achar que está no caminho certo; outra é achar que seu caminho é o único.

"Jesus disse: a casa de meu Pai tem muitas moradas. O dom é uma graça. Mas também é uma graça saber levar uma vida de dignidade, de amor ao próximo e de trabalho. Maria teve um esposo na Terra que procurou demonstrar o valor do trabalho anônimo. Embora sem aparecer muito, foi ele que proveu teto e alimento para que sua mulher e seu filho pudessem fazer tudo o que fizeram. Seu trabalho tem tanta importância como o trabalho deles, embora quase não se dê valor a isso."

Eu não disse nada. Ele segurou minha mão.

— Me perdoa a intolerância.

Beijei sua mão e a coloquei no meu rosto.

— É isto que quero lhe explicar — disse ele, novamente sorrindo. — Que, a partir do momento que reencontrei você, entendi que não podia fazê-la sofrer com a minha missão.

Comecei a ficar inquieta.

— Ontem eu menti. Foi a primeira e última mentira que lhe contei — continuou. — Na verdade, em vez de ir ao seminário, eu fui à montanha e conversei com a Grande Mãe.

"Disse que, se Ela quisesse, eu me afastaria de você e continuaria meu caminho. Continuaria com a porta cheia de doentes, com as viagens no meio da noite, com a incompreensão dos que querem negar a fé, com o olhar cínico dos que desconfiam que o amor salva. Se Ela me pedisse, eu renunciaria à coisa que mais quero no mundo: você."

Lembrei-me de novo do padre. Ele tinha razão. Uma escolha estava sendo feita naquela manhã.

— Entretanto — continuou —, se fosse possível afastar este cálice de minha vida, eu prometia servir o mundo através do meu amor por você.

— O que você está dizendo? — perguntei, assustada.

Ele pareceu não me ouvir.

— Não é preciso tirar as montanhas dos lugares para provar a fé — disse. — Eu estava pronto para encarar sozinho o sofrimento, mas não para dividi-lo. Se continuasse naquele caminho, jamais teríamos uma casa com as cortinas brancas e a visão das montanhas.

— Eu não quero saber dessa casa! Eu nem quis entrar nela! — falei, procurando conter-me para não gritar.

— Eu quero acompanhar você, estar com você em sua luta, fazer parte dos que se aventuram primeiro. Será que você não entende? Você me devolveu a fé!

O sol havia mudado de posição e seus raios agora inundavam as paredes da caverna. Mas toda aquela beleza começava a perder seu significado.

Deus escondeu o Inferno no meio do Paraíso.

— Você não sabe — disse ele, e vi que seus olhos imploravam que eu o compreendesse. — Você não sabe o risco.

— Mas você era feliz com ele!

— Eu sou feliz com ele. Mas ele é o meu risco.

Eu quis interrompê-lo, mas ele não me ouvia.

— Então, ontem, eu pedi à Virgem um milagre — continuou. — Pedi que retirasse meu dom.

Eu não acreditava no que estava escutando.

— Tenho um pouco de dinheiro e toda a experiência que anos de viagem me deram. Compraremos uma casa, arranjarei um emprego e servirei a Deus como fez São José, com a humildade de uma pessoa anônima. Não preciso mais de milagres para manter viva a minha fé. Preciso de você.

As minhas pernas foram ficando fracas, como se eu fosse desmaiar.

— E, no momento em que pedi à Virgem que retirasse meu dom, comecei a falar as línguas — continuou.

— As línguas me diziam o seguinte: "Coloque as mãos na terra. Seu dom sairá de você e voltará ao seio da Mãe".

Eu estava em pânico.

— Você não...

— Sim. Eu fiz o que a inspiração do Espírito Santo mandava. A neblina começou a se dissolver e o sol tornou a brilhar entre as montanhas. Senti que a Virgem me entendia, porque ela também amou muito.

— Mas ela seguiu seu homem! E aceitou os passos do filho!

— Não temos a força Dela, Pilar. O meu dom irá para outra pessoa; ele nunca é desperdiçado.

"Ontem, naquele bar, telefonei para Barcelona e cancelei a palestra. Vamos para Zaragoza: você conhece gente, podemos começar por ali. Arranjarei logo um emprego."

Eu não conseguia mais pensar.

— Pilar! — disse ele.

Mas eu já estava caminhando de volta para o túnel, sem nenhum ombro amigo para me guiar — seguida pela multidão de doentes que iam morrer, pelas famílias que iriam sofrer, pelos milagres que não seriam feitos, pelos risos que não enfeitariam o mundo, pelas montanhas que ficariam sempre no mesmo lugar.

Eu não via nada — apenas a escuridão quase física que me cercava.

SEXTA-FEIRA,
10 DE DEZEMBRO DE 1993

Na margem do rio Piedra eu sentei e chorei. As memórias daquela noite são confusas e vagas. Sei apenas que estive perto da morte — mas não me lembro como é o seu rosto, para onde me levava.

Gostaria de recordá-la — para que pudesse também expulsá-la de meu coração. Mas não consigo. Tudo parece um sonho, desde o momento em que saí daquele túnel escuro e encontrei um mundo onde a noite também já havia descido.

Nenhuma estrela brilhava no céu. Lembro-me vagamente de ter caminhado até o carro, ter pego a pequena sacola que levava comigo e ter começado a andar sem rumo. Devo ter caminhado até a estrada, tentado pegar uma carona de volta a Zaragoza — sem ter conseguido. Terminei voltando aos jardins do mosteiro.

O barulho da água era onipresente — as cachoeiras estavam em todos os cantos e eu via a presença da Grande Mãe me perseguindo aonde quer que fosse. Sim, Ela havia amado o mundo; amara o mundo tanto quanto Deus — porque também dera seu filho para ser sacrificado pelos homens. Mas será que entendia o amor de uma mulher por um homem?

Ela pode ter sofrido por amor, mas era um amor diferente. Seu grande Noivo conhecia tudo, fazia milagres. Seu noivo na Terra era um trabalhador humilde, que acreditava em tudo o que seus sonhos contavam. Ela nunca soube o que era abandonar ou ser abandonada por um homem. Quando José pensou em expulsá-la de casa porque estava grávida, o Noivo dos céus logo enviou um anjo para evitar que isso acontecesse.

Seu filho a deixou. Mas filhos sempre deixam seus pais. É fácil sofrer por amor ao próximo, por amor ao mundo ou por amor ao seu filho. Esse sofrimento dá a sensação de que isso faz parte da vida, de que é uma dor nobre e grandiosa. É fácil sofrer por amor a uma causa, ou a uma missão: isto só engrandece o coração de quem sofre.

Mas como explicar o sofrimento por um homem? É impossível. Então a gente se sente no inferno, porque não existe nobreza ou grandeza — apenas miséria.

Naquela noite eu deitei no chão gelado e o frio logo me anestesiou. Por um instante pensei que podia morrer se não arranjasse um agasalho — mas e daí? Tudo o que era mais importante em minha vida me fora dado generosamente em uma semana — e me fora tirado em um minuto, sem que tivesse tempo de dizer nada.

Meu corpo começou a tremer de frio e eu não ligava. Em algum momento, ele ia parar — porque teria gasto toda a sua energia tentando me aquecer e já não poderia fazer mais nada. Então, o corpo voltaria à sua tranquilidade habitual e a morte me acolheria em seus braços.

Tremi durante mais de uma hora. E a paz chegou.

Antes de fechar os olhos, comecei a escutar a voz de minha mãe. Ela me contava uma história que já me havia contado quando eu era criança, sem desconfiar que era uma história sobre mim.

"Um rapaz e uma moça se apaixonaram loucamente", dizia a voz de mamãe, na mistura de sonho e delírio. "E resolveram ficar noivos. Os noivos sempre se dão presentes.

"O rapaz era pobre; seu único bem consistia num relógio que herdou do avô. Pensando nos belos cabelos de sua amada, resolveu vender o relógio para comprar um lindo prendedor de cabelos de prata.

"A menina tampouco tinha dinheiro para o presente de noivado. Então, foi até a loja do principal comerciante do lugar e vendeu seus cabelos. Com o dinheiro, comprou uma corrente de ouro para o relógio de seu amado.

"Quando se encontram, no dia da festa de noivado, ela lhe dá a corrente para um relógio que fora vendido e ele lhe dá o prendedor para cabelos que não existiam mais."

Acordei com um homem me sacudindo.

— Beba! — dizia ele. — Beba rápido!

Eu não sabia o que se passava nem tinha forças para resistir. Ele abriu minha boca e me obrigou a tomar um líquido que me queimava por dentro. Reparei que estava em mangas de camisa — e que eu usava seu agasalho.

— Beba mais! — insistia ele.

Eu não sabia o que estava se passando; mesmo assim, obedeci. Depois tornei a fechar os olhos.

Voltei a acordar no convento, com uma mulher me olhando.

— A senhora quase morreu — disse ela. — Se não fosse o vigia do mosteiro, não estaria mais aqui.

Levantei-me trôpega, sem saber direito o que estava fazendo. Parte do dia anterior voltou-me à memória, e desejei que o vigia nunca tivesse passado por lá.

Mas agora o tempo certo da morte havia passado. Eu ia continuar vivendo.

A mulher levou-me até a cozinha e me deu café, biscoitos e pão com azeite. Não fez perguntas e eu tampouco expliquei nada. Quando acabei de comer, devolveu minha sacola.

— Veja se está tudo aí — disse.

— Deve estar. Eu não tinha nada mesmo.

— Tem sua vida, minha filha. Uma longa vida. Cuide melhor dela.

— Existe uma cidade perto daqui que tem uma igreja — disse eu, querendo chorar. — Ontem, antes de vir para cá, eu entrei nessa igreja com...

Eu não sabia como explicar.

— ... com um amigo de infância. Já estava farta de

ficar visitando igrejas, mas os sinos tocavam e ele disse que era um sinal, que precisávamos entrar.

A mulher encheu minha xícara, pegou um pouco de café para ela e sentou para escutar minha história.

— Entramos na igreja — continuei. — Não havia ninguém, estava escuro. Fiquei tentando descobrir qualquer sinal, mas tudo o que via eram os mesmos altares e os mesmos santos. De repente, escutamos um movimento na parte superior, onde fica o órgão.

"Era um grupo de rapazes, com violões, que logo começaram a afinar os instrumentos. Resolvemos sentar para escutar um pouco de música antes de sairmos em viagem.

"Pouco depois, um homem entrou e sentou ao nosso lado. Estava alegre, gritando para os rapazes que tocassem um pasodoble."

— Uma música de touradas! — disse a mulher. — Espero que não tenham feito isso.

— Não fizeram. Mas riram e tocaram uma canção flamenca. Eu e meu amigo de infância nos sentíamos como se os céus tivessem descido até nós; a igreja, a escuridão acolhedora, o som dos violões e a alegria do homem ao nosso lado, tudo aquilo era um milagre.

"Pouco a pouco, a igreja foi enchendo. Os rapazes continuavam a tocar música flamenca, quem entrava sorria e se deixava contagiar pela alegria dos músicos.

"Meu amigo perguntou se eu queria assistir à missa que devia começar dali a pouco. Eu disse que não; tínhamos uma longa viagem pela frente. Resolvemos sair, mas antes agradecemos a Deus por mais aquele lindo momento em nossas vidas.

"Assim que chegamos à porta, reparamos que muitas pessoas, muitas mesmo, talvez todos os habitantes daquela pequena cidade, estavam se dirigindo para a igreja. Pensei que devia ser o último povoado inteiramente católico da Espanha. Talvez porque as missas fossem muito animadas.

"Ao entrarmos no carro, vimos um cortejo que se aproximava. Traziam um caixão. Alguém havia morrido e aquela era uma missa de corpo presente. Assim que o cortejo chegou à porta da igreja, os músicos pararam as canções flamencas e começaram a tocar um réquiem."

— Que Deus tenha piedade dessa alma — disse a mulher, fazendo o sinal da cruz.

— Que tenha piedade — disse eu, repetindo seu gesto. — Mas entrar naquela igreja foi mesmo um sinal. De que a tristeza está sempre esperando no final da história.

A mulher me olhou e não disse nada. Então saiu e voltou um instante depois com várias folhas de papel e uma caneta.

— Vamos até lá fora — disse ela.

Saímos juntas. Estava amanhecendo.

— Respire fundo — pediu. — Deixe que esta nova manhã entre nos seus pulmões e corra por suas veias. Pelo visto, a senhora não se perdeu ontem por acaso.

Eu não disse nada.

— Tampouco a senhora entendeu a história que acaba de me contar, sobre o sinal da igreja — continuou. — Só viu a tristeza do fim. Esqueceu os momentos alegres que passou lá dentro. Esqueceu a sensação de que os céus haviam descido e de como era bom estar vivendo aquilo tudo junto com seu...

Ela parou e sorriu:

— ... amigo de infância — disse, piscando o olho. — Jesus disse: "*Deixe que os mortos enterrem os mortos*". Porque Ele sabe que a morte não existe. A vida já existia antes de nascermos e continuará existindo depois que deixarmos este mundo.

Meus olhos encheram-se de lágrimas.

— O mesmo se passa com o amor — continuou. — Já existia antes e continuará para sempre.

— Parece que a senhora conhece minha vida — disse eu.

— Todas as histórias de amor têm muita coisa em comum. Eu também passei por isso em algum momento da vida. Mas não me lembro. Lembro que o amor tornou a voltar, sob a forma de um novo homem, de novas esperanças, de novos sonhos.

Ela me estendeu as folhas de papel e a caneta.

— Escreva tudo o que está sentindo. Tire de sua alma, coloque no papel e depois jogue fora. A lenda diz que o rio Piedra é tão frio que tudo o que nele cai, folhas, insetos, penas de ave, se transforma em pedra. Quem sabe não seria uma boa ideia deixar em suas águas o sofrimento?

Peguei os papéis, ela me deu um beijo e disse que eu podia voltar para o almoço, se desejasse.

— Não se esqueça de uma coisa — gritou enquanto se afastava. —O amor permanece. Os homens é que mudam!

Eu ri, ela me acenou de volta.

Fiquei olhando o rio por muito tempo. Chorei até sentir que não tinha mais lágrimas.

Então comecei a escrever.

Palavras finais

Escrevi durante um dia, e outro, e mais outro. Todas as manhãs eu ia para a margem do rio Piedra. Todo entardecer a mulher se aproximava, me pegava pelo braço e me levava para o seu quarto no antigo convento.

Lavava minhas roupas, preparava o jantar, conversava sobre coisas sem importância e me colocava na cama.

Certa manhã, quando já estava quase no final do manuscrito, escutei o barulho de um carro. Meu coração deu um salto, mas eu não queria acreditar no que ele me dizia. Já me sentia livre de tudo, pronta para voltar ao mundo e fazer de novo parte dele.

O mais difícil havia passado — embora a saudade permanecesse.

Mas meu coração estava certo. Mesmo sem levantar os olhos do manuscrito, senti sua presença e o som de seus passos.

— Pilar — disse ele, sentando-se ao meu lado.

Eu não respondi. Continuei escrevendo, mas já não conseguia coordenar os pensamentos. O coração dava saltos, tentando libertar-se de meu peito e correr ao encontro dele. Mas eu não deixava.

Ele ficou ali sentado, olhando o rio, enquanto eu escrevia sem parar. Passamos a manhã inteira assim — sem dizer uma palavra — e eu me lembrei do silêncio de uma noite, junto a um poço — onde de repente entendi que o amava.

Quando minha mão não aguentava mais de cansaço, eu parei um pouco. Então ele falou:

— Estava escuro quando saí da caverna e não consegui te encontrar. Então fui até Zaragoza — disse. — E fui até Soria. E correria o mundo inteiro atrás de você. Resolvi voltar ao mosteiro de Piedra para ver se achava alguma pista e encontrei uma mulher.

"Ela me mostrou onde você estava. E disse que você tem me esperado todos esses dias."

Meus olhos se encheram de lágrimas.

— E ficarei sentado ao seu lado enquanto você estiver diante deste rio. E se você for dormir, dormirei em frente à sua casa. E se você viajar para longe, eu seguirei seus passos.

"Até que você me diga: vá embora. Então eu irei. Mas hei de amá-la pelo resto de minha vida."

Eu já não conseguia disfarçar meu pranto. Vi que ele também chorava.

— Quero que você saiba uma coisa... — começou ele.

— Não diga nada. Leia — respondi, estendendo os papéis que estavam em meu colo.

Durante toda a tarde, fiquei olhando as águas do rio Piedra. A mulher nos trouxe sanduíches e vinho, comentou alguma coisa sobre o tempo e tornou a nos deixar sós. Mais de uma vez ele parou a leitura e ficou com o olhar perdido no horizonte, absorto em seus pensamentos.

A certa altura, resolvi dar uma volta pelo bosque, pelas pequenas cachoeiras, pelas encostas cheias de histórias e significados. Quando o sol começava a se pôr, voltei até o lugar onde o havia deixado.

— Obrigado — foram suas primeiras palavras quando me devolveu os papéis. — E perdão.

Na margem do rio Piedra eu sentei e sorri.

— O seu amor me salva e me devolve aos meus sonhos — continuou ele.

Fiquei calada, sem me mexer.

— Você conhece bem o salmo 137? — perguntou.

Fiz um sinal negativo com a cabeça. Tinha medo de falar.

— *Nas margens dos rios da Babilônia...*

— Sim, sim, conheço — disse eu, sentindo que voltava pouco a pouco à vida. — Fala do exílio. Fala das pessoas que penduram suas harpas porque não podem cantar as músicas que o coração pede.

— Mas depois que o salmista chora, com saudades da terra de seus sonhos, ele promete a si mesmo:

Se eu me esquecer de ti, ó Jerusalém,
que resseque minha mão direita.
Que a minha língua não sinta mais nenhum sabor
se eu me esquecer de ti, Jerusalém.

Eu sorri mais uma vez.

— Eu ia esquecendo. E você me fez lembrar.

— Você acha que o seu dom voltará? — perguntei.

— Não sei. Mas Deus sempre me deu uma segunda chance na vida. Está me dando com você. E me ajudará a reencontrar o meu caminho.

— Nosso — interrompi-o de novo.

— Sim, nosso.

Ele me pegou pelas mãos e me levantou.

— Vá pegar as suas coisas — disse. — Sonhos dão trabalho.

Janeiro de 1994

TIPOGRAFIA Adriane por Marconi Lima
DIAGRAMAÇÃO Osmane Garcia Filho
PAPEL Pólen Soft, Suzano S.A.
IMPRESSÃO Geográfica, maio de 2021